D0626736

Notre distributeur :

Messageries de presse Benjamin
101, rue Henry-Bessemer,
Bois-des-Filion (Québec)
J6Z 4S9

Tél. : 450 621-8167

Le blogue de
Namasté
> Le coeur en miettes

LES ÉDITIONS LA SEMAINE
2050, rue de Bleury, bureau 500
Montréal (Québec) H3A 2J5

Directrice des éditions: Annie Tonneau
Directrice artistique: Lyne Préfontaine
Coordonnateur aux éditions: Jean-François Gosselin

Vice-président des opérations: Réal Paiement
Superviseure de la production: Lisette Brodeur
Assistante-contremaître: Joanie Pellerin
Infographistes: Marylène Gingras
Scanneriste: Éric Lépine

Réviseures-correctrices: Rachel Fontaine, Marie-Hélène Cardinal, Marie Théorêt, Luce Langlois
Photos de la couverture: Shutterstock
Illustrations intérieures: Shutterstock

L'éditeur bénéficie du soutien de la Société de développement des entreprises culturelles du Québec pour son programme d'édition.

REMERCIEMENTS
Gouvernement du Québec – Programme de crédit d'impôt pour l'édition de livres – Gestion SODEC

Nous reconnaissons l'aide financière du gouvernement du Canada par l'entremise du Programme d'aide au développement de l'industrie de l'édition (PADIE) pour nos activités d'édition.

Dépôt légal : deuxième trimestre 2012
Bibliothèque et Archives nationales du Québec
Bibliothèque et Archives Canada
ISBN : 978-2-89703-056-8

Maxime Roussy

Internet dans
toute sa splendeur
Namxox

Publié le 6 janvier à 13 h 24
Humeur: Boum!

> Je suis de rrretour!

Eh oui, comme les méchants dans les films d'horreur, je suis une increvable.

Même si j'ai reçu dix coups de pelle au visage, neuf projectiles dans la poitrine, huit coups de hache sur la nuque, sept coups de marteau dans l'œil, six flèches empoisonnées dans le nombril, cinq étoiles de ninja au sourcil gauche, quatre grenades dans la bouche, trois coups de tapette à mouches sur les fesses, deux monuments funéraires d'une famille riche sur la tête et une chiquenaude sur le, euh, genou, je suis toujours vivante!

(À noter: j'ai écopé de TOUTES ces attaques vicieuses en moins de cinq secondes, oui, je suis aussi résistante qu'on le dit, amenez-en de la moisissure, de la rouille et de la vancomycine, une inhibitrice de la synthèse du peptidoglycane de la paroi bactérienne.)

Après quelques jours de repos, le blogue de Namasté revient et se dit même prêt à botter des derrières!

Je l'avoue, j'ai pensé à arrêter d'alimenter mon blogue et songé à le laisser mourir d'une lente et longue agonie.

J'imagine très bien des archéologues le déterrer au 23e siècle en le caressant avec des petits balais volants – tout volera dans le futur; l'artefact qu'est mon blogue va constituer une pièce inestimable dans l'Histoire témoignant des us et coutumes bizarres et quelque peu répugnants de nous, ados du 21e siècle.

Je capote tellement j'ai de choses à raconter.

J'ai peur d'en oublier.

Et je crains qu'il ne manque de place sur le Net. Je vais remplir tous les serveurs informatiques avec ma délicieuse prose.

Je vais aller au bout du Net. 😊

Soit dit en passant, contrairement à la croyance populaire, Internet n'est pas un réseau d'ordinateurs interconnectés s'échangeant des 0 et des 1.

C'est plus humain que ça.

Grosso modo, c'est l'œuvre de moines tibétains qui, au sommet d'une montagne dans les nuages, conservent toutes les informations dans des gros livres reliés avec de la peau humaine.

Tout est écrit à la plume de cigogne avec du sang de yak.

Donc quand je tape dans un engin de recherche quelque chose comme « Pourquoi mon nombril me parle-t-il toujours quand je suis occupée et qu'il m'ignore le reste du temps ? », des signaux de fumée sont envoyés dans les airs et interceptés par un moine muni d'une super méga puissante loupe qui les transmet à d'autres moines, lesquels trouvent la réponse après l'avoir cherchée dans des millions de livres, réponse renvoyée à un pigeon qui atterrit sur le toit de ma maison et se met à roucouler l'information, laquelle est décodée par mon routeur.

Maintenant, LA question qui tue: comment se fait-il que ce soit si rapide si le processus est aussi complexe et fastidieux?

Réponse: les moines sont intoxiqués aux boissons énergisantes. Et au jojoba.

Cessons d'être naïfs! Internet est contrôlé par des hommes drogués vêtus de robes jaune safran!

Je n'ai pas de preuve concrète, mais en plus, paraît que des petites culottes, ils ne connaissent pas ça.

Et qu'ils portent des bas blancs par-dessus leurs tongs!

Les goujats!

(...)

Mon frère commence bien son année, il chiale déjà pour avoir l'ordi.

Wô les moteurs, patate, je viens de le prendre.

(...)

Je viens de texter à Matou, il ne m'a toujours pas répondu.

Bouhhh! Il m'a déjà oubliée!

(...)

Retour en arrière.

Avant de partir, j'étais crevée, déprimée et hantée par des chatons coiffés de chapeaux de Noël.

Ma mononucléose, mon travail de sapin géant qui pue au Village du père Noël, Mom et son cancer (forment-ils une même personne?), les amies de Jésus qui m'en veulent parce que je suis pour le droit des femmes à l'avortement et pro-mêlez-vous-de-vos-affaires, l'écriture de mon roman qui a été pas mal plus difficile que prévu (je l'ai terminé, je vais y revenir), les histoires de vol de mon chum et la chicane qui a suivi (j'ai hâte de revoir mon Matou d'amooour!), la première édition de *L'Écho des élèves desperados* qui, au lieu d'être HISTORIQUE comme elle aurait dû, a été HYSTÉRIQUE, merci à Valentine à qui j'ai fait confiance, avoir su qu'elle avait une obsession secrète pour les chats, je me serais débrouillée toute seule.

L'addition de tous ces irritants a fait en sorte que je n'avais plus le goût de rien.

J'ai même pensé à renoncer à mon blogue.

Sans blague.

Autant cette idée avait du sens il y a deux semaines, autant elle n'en a plus aucun aujourd'hui.

Je me suis demandé si ce blogue était encore «pertinent». C'est le nouveau mot de Mom, tout est maintenant «pertinent» ou «non pertinent».

Exemples:

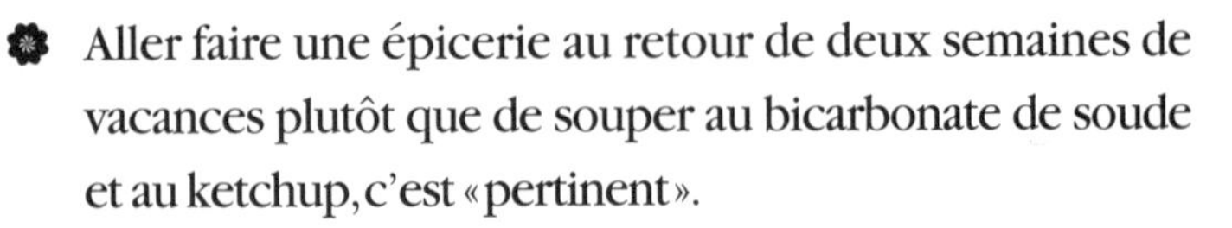

- Aller faire une épicerie au retour de deux semaines de vacances plutôt que de souper au bicarbonate de soude et au ketchup, c'est «pertinent».

- Fred qui veut prendre une photo du sable resté dans sa craque de fesses et la publier sur Fesse-de-bouc, c'est «non pertinent».

- Vider nos valises, mettre les vêtements sales au lavage, tout ranger, c'est «pertinent».

- Fred qui veut prendre une photo du dessin obscène fait avec de la crème solaire sur son ventre (un travail de dix jours, quand même) et le publier sur Fesse-de-bouc, c'est « non pertinent ».
- Se reposer pendant les jours de vacances qui restent pour attaquer l'année en force, c'est « pertinent ».
- Fred qui veut publier sur Fesse-de-bouc une photo de son château de sable (une catastrophe de sable, plutôt, ça ressemblait à la fin du monde) construit autour de la tête d'un homme enseveli (et oublié ?) tombé endormi, c'est « non pertinent ». On a commencé à se poser des questions en voyant que la tête du monsieur y était encore le lendemain et les jours suivants, environnée d'une nuée de mouches. Puis des policiers l'ont entourée de rubans jaunes et des journalistes l'ont photographiée. Enfin, on a appris aux nouvelles que c'était la tête d'un narcotrafiquant que la mer a rejetée. Mon frère a trouvé ça *chill*, mais ça a jeté un malaise dans nos vacances. (D'accord, j'exagère peut-être parce que je suis en mode écriture d'un roman d'horreur ; il n'y a pas eu de château de sable, on s'est juste servi de la tête comme ballon de volley-ball jusqu'à ce qu'elle sente trop mauvais. Gnac, gnac, gnac.)

Ouain... Finalement, tout est « pertinent », sauf ce qui concerne Fred. 😌

(...)

Pas de nouvelles de Matou.

Pourtant, il sait que j'arrive aujourd'hui.

Ça aurait été *cool* qu'il m'accueille à l'aéroport avec des ballons, une gerbe de fleurs, un avaleur de sabres et une pancarte «Namasté pour présidente!».

J'y pense, c'est plutôt lui qui mériterait un geste d'amour.

Il y a eu deux tempêtes de neige ici, en plus d'une vague de froid et du verglas.

Pendant que moi, je cherchais un peu d'ombre pour ne pas crever de chaleur!

(...)

Bon, Fred insiste, il veut l'ordi.

J'ai encore plein de choses à raconter.

Tiens, pendant ce temps, je vais harceler Matou en lui envoyant des textos. 😎

Namxox
Attention de ne pas
glisser sur une de mes idées

Publié le 6 janvier à 15 h 57
Humeur: Déçue

> Youhou!

C'est vraiment *biz*, Matou savait que je revenais aujourd'hui, je lui ai même donné l'heure à laquelle mon avion allait atterrir.

Je suis toujours sans nouvelles de lui.

Poche. 😐

Je veux le voir! Mes cheveux ont *besoin* de caresses. C'est une question de mort ou de, euh, mort (considérant qu'un cheveu, c'est une cellule décédée).

Pas grave! Même si c'est mort, ça a besoin de tendresse. De beaucoup de tendresse.

Je suis allée chez Kim, elle n'était pas là.

Je n'ai manqué à personne! Snif, snif, snif.

J'espère qu'il ne s'est rien passé de grave pendant mon absence. Genre, Matou s'est fait percer un mamelon avec une vis rouillée, ça s'est infecté et il a été victime de la bactérie mangeuse de chair.

Ou genre, Kim est passée dans une souffleuse à neige. Je sais pas trop comment, mais c'est plausible.

Mouais. Me semble que sa mère me l'aurait dit.

Peut-être qu'elle me garde la surprise pour mon anniversaire dans dix jours?

Un vrai sac à malices, cette dame.

(...)

Les premiers jours des vacances, j'ai trouvé ça dur d'être déconnectée.

Pas de cellulaire, pas de textos, pas d'Internet, une télévision avec des émissions en chinois (c'est une expression, c'était plutôt en espagnol), ça déstabilise son homme (c'est une expression, je suis une femme).

Après avoir passé quelques nuits enfermée dans la salle de bains à souffrir de sudation excessive, de *delirium tremens* (j'ai halluciné, entre autres, un gros monsieur en bobettes et en skis, attaqué par un aigle dans la douche) et de rage de shampoing conditionneur, je m'en suis sortie.

C'est fou comme je suis accro à la technologie.

Genre, si un jour je me retrouve sur une île déserte et qu'un génie apparaît et m'offre de réaliser trois souhaits, je vais lui demander un cellulaire, un ordi et une connexion Internet.

Comme ça, je vais pouvoir texter et gazouiller ma lente agonie parce que je n'ai jamais appris à ouvrir une noix de coco avec mes ongles.

(Je pourrais peut-être chasser le génie et le manger pour survivre? Question de joindre l'agréable à l'utile!)

Sans blague, comment les ados faisaient-ils, avant, sans texto et sans Internet? Comment?

Ils se parlaient dans un téléphone à fil avec une seule sonnerie et sans caméra. Ewwww...

Ils étaient en laisse. Littéralement.

Internet et mon cellulaire, c'est la liberté totale. On peut me joindre 24 heures sur 24 et je peux tout savoir en un clic sur le mariage d'une vedette dont personne ne va se souvenir dans un an.

Je suis une esclave de la technologie et fière de l'être. Je suis contente de mon sort!

Tu parles d'une imbécile heureuse...

(Mettons fin immédiatement à cette réflexion au risque de me découvrir pathétique.)

(...)

Je ne suis pas partie très loin, même pas à une année-lumière de la maison – 2745,65 kilomètres, plus précisément.

Ça m'a fait un bien fou.

Pendant 12 jours, j'ai fait des choses que j'aime.

Rien que ça.

Je ne suis même pas allée sur le Net.

(Bon, O.K., une fois, pour savoir avec qui tel chanteur sortait et aussi pour regarder la dernière vidéo virale de l'ado qui s'asperge d'essence et s'allume pendant que ses amis tapent dessus avec divers objets contondants et la vidéo s'intitule «La pinata de feu LOL» [mais ça ne compte pas parce que c'est *essentiel* à ma culture personnelle].)

La plupart du temps, j'ai trop de choses complètement inutiles en tête.

Comme si ma boîte crânienne était une poubelle toujours pleine dont on comprime le contenu en y mettant toujours plus de pression pour faire de la place.

Ce qui fait que des fois, je ne me rappelle même plus la combinaison de mon cadenas. Mais je peux raconter la dernière blague vulgaire vue sur Fesse-de-bouc impliquant deux corneilles, une frite et une pièce de 25 cents.

C'est pour ça que je trouvais ça pénible, à la fin: ma poubelle débordait, elle était devenue trop lourde.

Les vacances m'ont permis de la vider.

Un technicien des ordures ménagères (ou, plus *punché*, un éboueur) m'a ouvert le couvercle de la tête, a tout transvidé dans son camion, m'a reposée sur le sol et est reparti.

L'éboueur a transporté le contenu sur un bateau et il est allé jeter tout ça au beau milieu de l'océan.

Et un jour, un bateau va croiser une île de la grandeur de Montréal pleine de mes idées souillées et inutiles.

À présent qu'elle est vide, je vais pouvoir me remplir la tête de plein de trucs insignifiants trouvés ici et là jusqu'à ce que je ne sois plus capable d'avancer.

Ça ou je vais en vacances dans le Sud toutes les fins de semaine.

Je pars le vendredi soir et je reviens le dimanche soir.

C'est la solution.

Ça coûtera une fortune, mais c'est la clé de mon bonheur.

J'ai reçu mon chèque de paie pour les quelques jours de travail au Village du père Noël.

Cent douze dollars.

Ce n'est pas rien.

Va falloir que mes parents m'aident, c'est sûr.

Pop et Mom ne pourront tout simplement pas dire non. Au risque de briser le cœur de leur gentille fille, si belle, si intelligente et si sensible (c'est moi, ça!).

Je ne vais pas rester les bras croisés pendant qu'ils se ruinent pour mon bonheur.

Oh que non!

Je ne suis pas une enfant ingrate, moi.

Je vais organiser des campagnes de financement.

Quelque chose qui sort de l'ordinaire pour faire le plus de pognon possible.

Je sais, je vais vendre des tablettes de chocolat aux grillons, organiser un lave-auto habillée en mascotte ou remplir des sacs à l'épicerie en émettant un commentaire désobligeant au client chaque fois qu'il aura acheté un aliment qui n'est pas santé. Genre:

«Je vois que vous considérez le gras, le sucre, le sel et les bretzels comme des groupes alimentaires.»

«Vous allez faire quoi avec tout ce bacon? Une robe? Recouvrir vos murs avec?»

«Vous arrive-t-il de vous demander pourquoi vous avez besoin d'un lit de format très grand et vos fesses, d'une très, très grande culotte?»

«Ma boule de cristal me dit que vous allez bientôt avoir un nouvel ami du nom de Cancer de l'intestin.»

«Vous saviez que votre taux de cholestérol doit être le plus bas possible et non l'inverse?»

Avec ces phrases-chocs, je devrais recevoir une tonne de pourboires. Juste pour que je me la ferme. 😄

(...)

Je me suis rendu compte qu'il se passe tout simplement trop de choses dans ma vie.

C'est fou ce qui s'est produit pendant la dernière année et qui m'a affectée.

Normal que j'aie attrapé une mononucléose.

Le virus a profité de la vulnérabilité de mon corps pour l'attaquer sauvagement.

Depuis l'accident mortel de Zach, tout a déboulé.

Des fois, j'ai été responsable de mes soucis. D'autres fois, non.

À minuit une minute le 1er janvier dernier, j'ai pris une résolution : arrêter de fumer des feuilles d'érable (les biscuits, pas les vraies feuilles, franchement !).

Ça va être super facile à tenir comme résolution puisque je n'ai jamais commencé.

Naaaan. Je niaise. (Paaas vraaai, Naaam ! Je ne m'en étais paaas rendu compte.)

J'ai plutôt décidé qu'il ne se passerait plus rien dans ma vie.

Rien de trop excitant, s'entend.

C'est pas grave si une tranche de pain brûle dans le grille-pain ou si le détecteur de fumée se déclenche parce que mon frère a essayé de fumer une feuille d'érable (la feuille, pas le biscuit, il est fou comme ça, Fred).

Je veux la paix.

Genre je me marie avec Matou, j'ai des enfants, je vieillis et je meurs à 85 ans étouffée par un morceau de steak mal mâchouillé parce que je n'arrive pas à m'habituer à mon dentier tout neuf.

Finis, les rebondissements.

Les seuls que je vais tolérer sont les nids-de-poule que Grand-Papi ne réussit pas à éviter en auto.

Je veux que ma vie soit un long fleuve tranquille, pas un parc aquatique rempli de p'tits morveux qui crient dans la piscine à vagues parce que trop excités ou parce que l'un d'eux est en train de se noyer.

Parlant de parc aquatique, j'ai une anecdote croustillante à ce sujet...

(...)

OMG!

Kim est là. Youppi!

****

Prête à vivre des émotions fortes? Le parc aquatique *Les poumons inondés* promet de t'en offrir toute une goulée. Vient essayer Le Niagara, la plus haute glissade d'eau au monde de plus de deux kilomètres ayant une pente à 89 degrés. Aussi, exclusif, nos sauveteurs ont été entraînés pour te réanimer juste avant que tu ne rejoignes tes proches décédés dans la Lumière.

www.glouglouglou.com

****

Kiiim !
Namxox

Publié le 6 janvier à 21 h 05
Humeur: Chatouillée

> **Ding! Dong!**

Je viens de passer plusieurs heures avec Kim.

C'était *cool*, on a beaucoup ri, je lui ai raconté mes vacances et elle, ses non-vacances (elle s'est tellement ennuyée qu'elle a construit une maison en bâtons de café pour son hamster - problème, elle n'en a pas).

C'était *cool*, comme j'ai dit, mais il y avait comme un malaise.

Peut-être parce que quand je l'ai vue, j'ai couiné comme un chihuahua qui n'a pas vu son maître depuis une décennie. Je n'aurais peut-être pas dû lui lécher frénétiquement le visage…

Et je n'aurais peut-être pas dû uriner frénétiquement sur le plancher.

Qui sait? Il est trop tard.

C'est comme si ma *best* ne pouvait pas soutenir mon regard plus de cinq secondes.

Comme si elle avait quelque chose à cacher. Comme si elle avait honte.

Il y a quelque chose qui cloche.

Elle était contente de me voir, mais pas *super* contente.

Je souffre encore de paranoïa, sûrement.

Qu'est-ce qu'elle pourrait me cacher?

- Pendant mon absence, elle a développé avec Grand-Papi une passion dévorante pour, SCANDALE!, le bridge?
- Pendant mon absence, Kim a tenté de battre le record mondial du plus grand nombre de t-shirts portés en même temps (245 par un mec de la Croatie selon le Net), mais a lamentablement échoué (au troisième, elle a commencé à se plaindre qu'elle étouffait), il a alors fallu, SCANDALE!, un marteau-piqueur et beaucoup de volonté pour la sortir de là?
- Kim et sa blonde, Nath, ont démarré un groupe de musique qu'elles ont appelé Les hémorroïdes atomiques, elles en ont enregistré le nom, ont fait coudre des t-shirts, des macarons et des grosses mains en mousse, puis ont commencé à écrire des chansons mais, terrifiées en voyant qu'elles avaient réussi à faire rimer «pain doré» avec «madame édentée», elles se sont fait la promesse en se coupant un doigt et en mélangeant leur sang de ne plus jamais parler de cette période sombre de leur vie?

Moi et l'art de trouver des problèmes où il n'y en a pas...

Je lui ai donné mon roman d'horreur à lire, roman que j'ai fini d'écrire pendant mes vacances.

J'ai hâte d'avoir ses commentaires!

(...)

C'est le temps de raconter mes vacances en détail.

Ça a mal commencé pour deux raisons:

- L'avion était en retard parce qu'un zozo de voyageur a fait une désopilante blague en affirmant qu'il avait une bombe dans ses bagages.
- Jimmy et sa mère partaient pour la même destination dans le même avion que nous.

Oui, oui, Jimmy, le roi des têtards gluants, le seigneur suprême des Réglisses noires.

Quand il m'a vue, il a eu la même réaction que moi, il a poussé un long cri dans sa tête: «*Nooon!*»

Je l'ai ignoré, je me suis dit que j'avais des hallucinations parce que j'ai mangé un *bagel* avec du vert dessus - ce que j'ai bien sûr réalisé quand j'avais déjà englouti 93 % de la chose.

Non, c'était bel et bien Jimmy avec son joli visage d'arrogant auquel il ne manque qu'un peu de chirurgie esthétique (un coup de pelle) pour le rendre plus repoussant.

Tant qu'il a pu respecter les neuf mètres réglementaires de distance entre lui et moi, il ne me *gossait* pas trop.

Il me titillait comme lorsque je croise une mascotte dans un lieu public. Je fais comme si elle n'existait pas, même si je la regarde du coin de l'œil au cas où elle se dirigerait agressivement vers moi pour m'offrir un ballon et/ou me frotter les cheveux comme on essaie d'effacer une tache tenace.

Pour l'occasion, le beau Jimmy portait des verres fumés, même si on était à l'intérieur et même si le soleil n'était pas encore levé et même si le ciel était nuageux.

On est finalement entrés dans l'avion.

J'ai pressé mes parents, comme s'il y avait une alerte au tsunami.

– Voyons, Nam, nos sièges sont réservés, m'a dit Mom. Pas besoin de paniquer.

– Oui, je sais, mais, euh, j'ai hâte de, euh, d'essayer les toilettes.

Naaawak !

On était assis dans le milieu de l'avion. Mom et Pop étaient derrière moi, et Fred, en avant. Parce que lui et moi, on voulait une place à côté d'un hublot.

Je me suis assise et j'ai tout de suite observé par la fenêtre les employés de la compagnie aérienne déposer (plutôt *pitcher*) les bagages dans la soute.

Jimmy allait entrer dans l'avion, s'asseoir et avec un peu de chance, être aspiré vers l'extérieur en plein vol parce qu'un passager avait eu la brillante idée d'aller fumer dehors.

Bien entendu, ça ne s'est pas passé comme ça.

Quand une personne s'est assise à mes côtés, je lui ai jeté un coup d'œil.

Que le grand cric me croque, c'était Jimmy.

Phoooque !

Pendant que mon frère parlait avec lui, moi, je voulais changer de place. Si on m'avait proposé de faire le trajet dans la soute à bagages avec les animaux ou sur une des ailes, j'aurais accepté.

Mais non.

L'avion était rempli, plus un siège vide.

J'étais donc condamnée à passer les quatre prochaines heures avec mon pire ennemi à 30 centimètres de moi.

Selon la brochure décrivant les spécifications de l'avion, il y avait 112 places.

J'avais donc une chance sur 108 (en excluant mon frère, mes parents et moi) de me retrouver à côté du cousin de mon chum.

C'est 0,925 %.

Il y a quelqu'un, quelque part, qui tire les ficelles.

Je ne parle pas d'un dieu quelconque.

Parce que s'il existait, il n'en aurait rien à faire d'une ado à lunettes et à broches un peu folle comme moi.

Je pense plus au film *The Truman Show*. Je suis peut-être dans une télé-réalité où tous les gens autour de moi sont des acteurs.

Et on me provoque, pour le bonheur des téléspectateurs, afin d'assister à mes authentiques réactions.

Chapeau au scénariste de mon existence !

J'ai tout fait pour ne pas laisser paraître mon malaise. Je me suis retenue à deux mains pour ne pas hurler et manger le dossier du siège de mon frère.

Cependant, j'ai vite constaté que Jimmy n'était pas à l'aise.

Moi, j'étais surexcitée de prendre l'avion pour la première fois de ma vie. Anxieuse ? Aucunement.

Mais Jimmy répondait des «hum, hum» à mon frère, il se frottait souvent la bouche, suait et remuait continuellement.

Réaction normale d'un gars assis aux côtés d'une des plus belles filles du monde. Que dis-je, de l'univers !

Mais bon, ces troubles ressentis par les gars devant mon extraordinaire pouvoir de séduction commencent à me lasser...

Une fois que tout le monde a été assis, un agent de bord est venu vers moi pour m'informer que j'étais assise à côté d'une sortie d'urgence. Il m'a expliqué comment faire pour l'ouvrir au cas où j'en aurais besoin.

C'est à ce moment que Jimmy a commencé à respirer fort.

Quand l'agent de bord s'en est allé (c'est plus beau que «s'est en allé», non ?), j'ai ouvert le feuillet d'information dans la pochette devant moi. Quelques secondes plus tard, j'ai dit à mon frère : «*Cool*, nos sièges pourront servir de flotteurs si on tombe à l'eau.»

Fred s'est retourné vers Jimmy et lui a demandé s'il allait bien.

Jimmy a fait non de la tête.

Jimmy a peur de l'avion.

Très peur.

Je sais que je n'aurais pas dû, mais j'ai souri de l'intérieur (ça se peut).

Voir Jimmy, le maître du harcèlement, le gars le plus sûr de lui, être terrifié parce qu'il est assis dans le ventre d'un oiseau d'acier de 80 tonnes pouvant atteindre une vitesse de croisière de 876 km/h et contenant plus de 25 000 litres d'essence, ce qui fait de lui une bombe avec des ailes, bref, voir Jimmy aussi vulnérable m'a fait du bien.

Parce que pour la première fois, j'étais dans une position où j'étais en contrôle alors qu'il ne l'était visiblement pas.

Je me suis réjouie de son malaise pendant cinq secondes.

Après, j'ai commencé à trouver qu'il faisait pitié.

(...)

J'ai pris une pause pour bâiller.

Parlant de faire pitié, Matou ne m'a pas encore appelée.

Bouhouhou!

Et je suis fatiguée.

Douze jours à ne rien faire, ça épuise!

Dodo... Sans mon frère à mes côtés. Yé!

Je n'aurai pas peur si, en pleine nuit, il passe son bras autour de moi et me susurre dans l'oreille que je suis «(sa) guidoune préférée».

(Je n'ai pas parlé à Fred au sujet de cette «guidoune préférée». Pas parce que je ne veux pas l'embarrasser, mais parce que je sens que je vais être plus gênée que lui.)

Le ballet jazz est un heureux
mélange de classique,
de danse moderne et de funky

Publié le 7 janvier à 10 h 02
Humeur: Joyeuse

> Nuit endiablée

Je me suis endormie super tard.

Mais ça valait la peine.

J'ai échangé une centaine de textos avec mon Matou d'amooour.

J'ai reçu son premier message à 22 h 15 et quand j'ai regardé mon réveille-matin, il était déjà deux heures du matin.

Il a passé un temps des Fêtes «correct». Il n'a rien fait de particulier sauf pleurer toutes les larmes de son corps parce que j'étais loin de lui. C'est ce qu'il m'a dit.

Téteux!

Même si je sais que ce n'est pas vrai, ça me flatte.

Il a reçu ma carte postale avant-hier (même si je l'ai envoyée deux jours après être arrivée là-bas).

Il l'a trouvée super drôle.

C'est une fille en bikini avec deux ballons de plage à la place de la poitrine. La légende dit: «Oui, ce sont de vrais... ballons.»

En fait, c'était écrit en espagnol. Je l'ai traduit à l'aide de mon dictionnaire espagnol-français.

Matou m'a dit aussi qu'il n'a rien volé pendant mon absence. Je n'ai aucune raison de ne pas le croire.

On s'est aussi échangé des mots doux.

J'ai vraiment hâte de le revoir.

De le toucher.

De l'embrasser.

Hé, hé...

Il travaille dans les jours qui viennent.

Peut-être ce soir?

(...)

Suite de la narration de mes vacances.

Donc, Jimmy est à mes côtés, il ne se sent *vraiment* pas bien.

Et quand le signal «attachez vos ceintures» apparaît, il devient plus que blême, je dirais translucide.

Je ne sais pas quoi faire, Fred non plus.

L'avion décolle.

Je vois que derrière ses verres fumés, il a fermé les yeux et qu'il s'agrippe aux accoudoirs.

Je me dis que je pourrais crier un truc du genre «*Oh my God*, le moteur est en feu!», question de lui changer les idées, mais je me retiens.

Dès que la consigne de sécurité disparaît, Fred part à la recherche de la mère de Jimmy. Il la trouve, mais elle dort.

Jimmy ne va pas mieux. Il se tourne vers moi et me dit, les lèvres sèches, qu'il va «mourir».

Le sacripant! Je n'allais pas le laisser gâcher mes vacances aussi facilement!

Je me tourne vers Mom et je lui explique la situation:

– Le gars à côté de moi agonise. Tu peux faire quelque chose?

Elle se détache et va parler à Jimmy.

Elle lui fait faire des exercices de respiration et dix minutes plus tard, il va beaucoup mieux.

Mom a sauvé la vie de Jimmy, la Réglisse noire suprême !

Elle me dit qu'il fait une attaque de panique. Genre, son cerveau lui envoie un signal de danger bien qu'il n'y en ait aucun.

On a parlé un peu, lui et moi.

J'ai essayé de comprendre pourquoi il agissait comme un crétin.

Faut qu'il y ait une raison, non?

Je me suis rendu compte qu'il est moins crétin quand il est loin de ses amis.

Il a même dit des choses intelligentes.

Oui, oui. Je n'exagère pas.

Il m'a dit:

– Écoute, si c'était possible de ne parler à personne de ce qui vient de se passer...

– De quoi parles-tu? Du fait que tu pensais être enfermé dans les toilettes et qu'il a fallu qu'une agente de bord te hurle de pousser la porte vers l'extérieur et non l'inverse?

– Euh, non, mais oui, ça aussi, garde-le pour toi. Je te parle de, tu sais, ma petite panique.

– Tu as peur qu'on te trouve faible?

– Non. C'est juste que...

– Tu sais quoi, Jimmy? Dans le fond, tu es un peureux. Tu harcèles les autres parce que tu te vois en eux et ça te dérange. Tu joues les durs avec tes amis, mais dans le fond, tu es un p'tit cul qui recherche de l'attention.

Jimmy regardait devant lui.

– Je vais m'excuser.

– T'excuser?

– À Nathalie. Je vais m'excuser pour ce que je lui ai fait subir. Mais en échange, tu ne dis rien, d'accord?

– Non, pas question. C'est pas sincère, ton affaire.

– Je suis sincère. J'y ai déjà pensé.

– Pourquoi tu ne l'as pas fait avant?

– Je ne sais pas.

– Parce que tu es un pleutre. Tu as peur que tes amis te repoussent.

Il n'a rien dit. J'ai continué à me vider le cœur.

– Lesquels sont amis avec toi juste parce que tes parents sont riches? Parce que tu as une belle auto?

– Je vais m'excuser. Et c'est sincère. Je sais que j'ai exagéré.

– J'ai bien hâte d'entendre ça.

Deux heures plus tard, Jimmy a refait une attaque de panique. Mom l'a encore aidé à la surmonter.

En sortant de l'avion, il nous a salués, mon frère et moi, et il a remercié Mom.

Je l'ai revu une seule fois ensuite.

Mais c'en était toute une! 🙂

La suite plus tard.

(...)

Fred a continué à s'entraîner pendant qu'on était en vacances.

Il a une première séance de lutte ce soir en tant que «Le Ventriloque».

Léo le nain, la petite personne, l'humain verticalement différent l'accompagne.

J'ai regardé un peu de lutte à la télévision et je ne suis pas sûre que ça convienne à Fred.

Même si c'est «arrangé», même si ce sont des cascades, la lutte, c'est quand même assez brutal.

Ça se lance par terre, ça se donne des coups de chaise, de table, de cloche, ça se fait des prises impossibles qui ont l'air douloureuses, ça se projette du troisième câble, ça tombe sur le dos, sur la poitrine, sur la tête. Et le sol a l'air dur. C'est pas un trampoline ou un champ de marguerites, ce sont des planches de bois.

Ce que j'ai vu est vraiment abrutissant.

Des gars super musclés et machos et des filles avec des faux seins, des fausses lèvres et des faux cheveux qui se les tirent, justement, pour attirer l'attention des lutteurs.

C'est une mauvaise caricature.

Je ne vois pas Fred frayer dans cet univers-là.

Me semble que le ballet jazz serait plus approprié.

Il y a moins de contacts avec des brutes, il me semble.

(Anecdote de ballet jazz : en première année, j'ai suivi des cours à l'école après les classes. La seule chose que je me rappelle est qu'il y avait un « grand » de troisième année, le seul gars du groupe, qui tentait à chaque cours de nous frapper avec un bâton de hockey cosom. J'ai jamais autant couru et crié de ma vie. C'est le seul souvenir qu'il me reste. 😌)

Je m'explique : Fred est douillet.

Dès qu'il se fait un peu mal, c'est la fin du monde, personne dans l'univers n'a autant mal que lui.

Supposons qu'il se coupe un doigt avec une feuille de papier, il réagit comme s'il venait de plonger dans un volcan en éruption rempli de piranhas génétiquement modifiés pour résister à des températures de 900 degrés Celsius (certains sont plus frileux et portent des petits habits couleur argent avec des casques d'astronautes, vous devriez les voir, ils sont tellement *cuuutes* !).

Faut tout arrêter à trois kilomètres à la ronde et s'occuper de son doigt qui ne tient, selon lui, que par un morceau de peau.

Et il a tellement saigné qu'il a repeint les murs (deux couches).

C'est là que Mom intervient en lui donnant des gifles (mais nooon, elle est trop gentille pour faire ça). Elle met un pansement sur sa « blessure » d'un centimètre de largeur et un millième de millimètre de profondeur et elle le berce jusqu'à ce que ses larmes de douleur soient sèches.

Bien sûr, môôôsieur ne peut plus fonctionner normalement.

Il faut couper sa viande pour lui.

Il faut faire son lit.

Attacher les lacets de ses chaussures.

Il ne peut plus faire de tâches ménagères (de toute façon, lui demander de faire quelque chose est une bataille de tous les instants).

Remplir ou vider le lave-vaisselle sont considérés comme des tâches qui mettent sa vie en péril (une fourchette est si vite plantée en plein cœur).

Bref, je le vois mal se faire maltraiter par des hommes des cavernes dans une arène.

Dès qu'on lui marchera sur un orteil, il va s'effondrer et hurler que son pied a été broyé.

Il sera en état de choc jusqu'à ce que Mom surgisse dans l'arène avec un gyrophare sur la tête, une crécelle (hein ?) à la main et sa chaise berçante pour le soulager de sa *pe-peine*.

Je ne lui en ai pas parlé parce que ce projet débile de lutte l'obsède, mais je suis prête à parier ma gomme à effacer hantée - pas la nouvelle, l'autre, celle qui est remplie de graffitis, qui a une forme qui n'a jamais existé auparavant et que j'ai jetée dix fois, mais qui a toujours mystérieusement réapparu dans mon étui à crayons - que la carrière de Fred ne fera pas long feu.

Je le répète: le ballet jazz, même si je sais pas trop ce que c'est, serait un choix plus «pertinent», comme dirait ma maman d'amour.

(...)

Il me semble que j'écrirais toute la journée.

Très cher blogue de Namasté (c'est moi!), tu m'as manqué!

Allez, je vais lire.

Je dois profiter au max de mes dernières journées de vacances!

****

CASSEZ LE MOULE!

Las des vacances où il ne se passe jamais rien de palpitant? Vacances Extrême vous offre, avec son forfait Kamikaze, une expérience que vous n'êtes pas prêt d'oublier. Faire du rodéo sur un lama en colère, voler le dentier d'une personne âgée grognonne alors qu'elle l'a dans la bouche et gribouiller des insultes sur des œufs qui reposent dans le nid d'un aigle au sommet d'une montagne, c'est possible! Et c'est le menu de la première journée: imaginez les six autres!

www.avecnouslavieestcourte.com

****

Mon cell vient de me remettre sa démission !
Namxox

Publié le 7 janvier à 15 h 21
Humeur: Barbouillée

> Je ne peux m'empêcher de bâiller

J'ai fait une sieste de deux heures.

Hé, hé... Ça, c'est la grosse vie sale.

Je ne sais pas comment je vais faire, à l'école, pour m'en passer.

Il est temps pour moi de faire une déclaration au monde entier: j'aime dormir!

Avec ma mononucléose, personne ne peut me traiter de paresseuse parce que c'est ce que le médecin m'a prescrit : dodo le plus souvent possible.

Je n'ai donc aucune honte à m'assoupir n'importe quand et n'importe où.

Je me suis entraînée jour et nuit. J'ai même appris à dormir avec le visage à moitié enfoui dans une cage de cobras.

(...)

Kim a reçu un téléphone cellulaire pour Noël.

Et elle a développé très (trop?) vite une dépendance aux textos.

Je n'ai même pas le temps de répondre à un de ses messages qu'elle m'en a déjà envoyé 50!

Relaxe-toi, Kim. Relaxe-toi.

Et elle m'envoie des trucs insignifiants.

Faudrait qu'elle apprenne à faire la différence entre des informations «pertinentes» et «non pertinentes».

Des exemples? Voici les quinze derniers messages qu'elle m'a envoyés en moins de sept minutes:

Kim: Je ne trouve pas le dentifrice.

Kim: O.K., je viens de le trouver.

Kim: Ma brosse à dents est laide. MDR

Kim: Ta langue, tu la brosses, toi?

Kim: Je vais rincer ma bouche.

Kim: J'ai craché du bleu.

Kim: Argh, mon père a encore oublié de tirer la chaîne.

Kim: Y'a plus de papier de toilette!

Kim: Le miroir est sale.

Kim: Je ne trouve pas le bouchon de l'évier.

Kim: O.K., je l'ai.

Kim: Ewww, il est gluant.

Kim: Crime, l'eau chaude est TELLEMENT chaude.

Kim: Crime, l'eau froide est TELLEMENT froide.

Kim: J'ai un bouton.

Kim: Ma brosse à cheveux est pleine de cheveux.

Kim: J'avais un nœud.

Kim: Hey, tu réponds pas!

Kim: Je viens de péter mon bouton. *Dirt*!

Kim : Je trouve que le trou du lavabo fait pitié.

Qu'est-ce que je peux répondre à ça ?

Kim n'est pas la seule.

Des fois (juste des fois !), moi aussi, j'écris pas mal n'importe quoi. 🙄

Mom hallucinait la dernière fois qu'elle a vu la facture de mon cell. Le mois dernier, j'ai envoyé et reçu 3 926 messages textes.

- C'est 130 par jour, m'a dit Mom. Qu'est-ce que vous vous dites ?

- Des choses suuuper importantes, Mom. Tu peux pas comprendre.

Moi non plus, je ne peux pas comprendre.

Mais texter, c'est plus fort que moi.

Je suis possédée par mon cellulaire !

Ça me donne une idée d'un autre roman d'horreur, ça... Hé, hé...

Ça me fait penser...

Namasté : Tu as lu mon manuscrit ?

Kim : Mon doigt est coincé dans le trou du lavabo !

Kim : O.K., il n'est plus coincé.

Kim : Non, pas encore lu.

Namasté : Mais qu'est-ce que tu attends ?

Kim : Tu penses que je peux attraper une maladie si je mets le bouchon gluant dans ma bouche ?

Kim: C'est sûr que c'est plein de bactéries là-dedans.

Kim: Je les entends hurler quand je les écrase.

Kim: Mais en même temps, c'est peut-être bon pour mon système immunitaire?

Kim: Je vais essayer.

Namasté: Kim, je t'ai posé une question!

Kim: *OMG*! Ça goûte le pamplemousse! Comment ça se peut?

Kim: Merde! Le nettoyant de ma mère est aux agrumes!

Namasté: Arrête un peu, Kim! Tu m'étourdis.

Kim: Si c'est aux agrumes, il doit bien y avoir de la vitamine C là-dedans, non?

Kim: Je vais aller lire les instructions.

Kim: Je vais mourir!

Kim: C'est écrit que c'est toxique!

Kim: Je fais quoi?

Kim: Tu penses que ma langue peut tomber? Elle est comme engourdie.

Kim: On ne pourra plus se *frencher*!

Namasté: De quoi tu parles?

Kim: Oh, désolée, c'était un message à Nath.

Namasté: Tu écris à deux personnes en même temps? Coudonc, t'as combien de pouces?

Misère.

Le SMS (*Short Message Service* ou Service de messages courts en ukrainien) est un standard de communication qui utilise un protocole binaire - il transforme chaque caractère en 0 ou en 1 - afin d'acheminer, d'antenne à antenne, des messages encodés en bits jusqu'à un concentrateur central qui se charge de trouver leurs destinataires et utilise, à son tour, les antennes pour les rejoindre.

C'est de la haute technologie.

Toutes ces infrastructures ont coûté des milliards et ont exploité les connaissances de milliers d'ingénieurs.

Tout ça pour quoi ?

Se transmettre des insignifiances !

Je parle des autres.

Parce que moi, mes propos sont toujours judicieux.

Oui, oui.

Toujours. Judicieux.

(...)

Bon.

J'ai déposé mon cellulaire sur mon lit, j'ai fait 40 pas et je suis allée sonner chez Kim.

C'est sa mère qui m'a répondu. Elle m'a indiqué que Kim était dans sa chambre.

La porte était fermée.

Je l'ai défoncée en donnant un bon coup de pied dedans, je suis entrée, j'ai pris le bocal qui contient son poisson bêta et je lui ai lancé le contenu sur le visage. Le poisson est accidentellement entré par une de ses narines et est sorti par sa bouche. Habitué à vivre dans des milieux hostiles, il a survécu.

Pas eu le choix, c'était le seul moyen d'avoir l'attention de ma *best*.

Son téléphone fumait.

- Relaxe sur les textos, je lui ai dit. Mon téléphone va faire un *burn-out*.

Dans un million d'années, si nous, les ados, on continue à se texter aussi frénétiquement, il est clair que l'être humain va développer deux autres bras et deux autres mains. Ou qu'il va naître avec un téléphone cellulaire greffé dans le cerveau et qui sera muni d'un contrat de textos illimités.

Je ne sais pas si c'est biologiquement possible, mais ce serait pratique.

À partir du moment où les scientifiques peuvent greffer une oreille sur le dos d'une souris, tout est possible. C'est Fred qui m'a dit de taper - à mes risques et périls - les mots «oreille» et «souris» dans un moteur de recherche.

La vue de cette image m'a fait grandir de l'intérieur.

Parlant de cette souris, aux dernières nouvelles, on lui a installé un *stretch* sur le lobe. Ça lui va à ravir.

On dit aussi qu'elle a un sens de l'écoute formidable.

Assez de désopilants calembours, je vais aller aider Mom à préparer le souper.

(La vérité est que je ne parlerai plus à Mom pendant

qu'elle prépare le souper parce que je suis incapable de parler et d'éplucher une patate en même temps sans provoquer un accident qui nécessite une transfusion sanguine, une dizaine de points de suture et une enquête policière. Ouais, c'est moi, la Tueuse à l'épluche-patates.)

Ce que j'ai l'air
en tenue d'Ève
Namxox

Publié le 7 janvier à 18 h 39
Humeur: Excitée

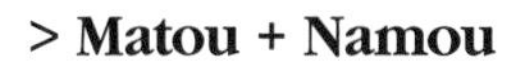

> Matou + Namou

Youhou! Matou va venir me voir après le boulot.

Je suis allée louer un film. On va le regarder collée-collé.

Je suis allée à la Caméra cachée voir mon beau Nicolas pour qu'il me suggère quelques titres appétissants.

Quand il m'a vue, il m'a dit:

– Wow. T'es super bronzée, où t'as passé les Fêtes? Le visage au-dessus d'un grille-pain allumé?

Hé, hé... C'est vrai que je suis pas mal bronzée.

Et la peau sous mon bikini est blanche, donc quand je me regarde nue dans le miroir – brun, blanc, brun, blanc, brun –, j'ai l'air d'un cornet de crème glacée torsadée chocolat-vanille.

J'accepte qu'on me parsème de bonbons multicolores, mais on ne peut pas me tremper dans le chocolat, oh, ça non.

Et je ne fonds pas.

Et quand on me mord à pleines dents, je ne gèle pas le cerveau, mais je frappe (hein?).

Nicolas est vraiment une encyclopédie de films tellement mauvais qu'ils en deviennent fascinants.

Je suis jalouse de ses connaissances et je lui ai dit.

J'ai jeté mon dévolu sur *Monstre à gogo*, un film de 1965.

Le résumé: un astronaute s'écrase avec sa navette spatiale sur la Terre et réapparaît 12 000 kilomètres plus loin, irradié et transformé en monstre. Puis il est capturé par des scientifiques et il s'enfuit. Et à la fin, les scientifiques reçoivent un télégramme de l'astronaute qui leur apprend qu'il habite dans le nord de l'Atlantique et, révélation surprenante, qu'*il n'y a jamais eu de monstre*.

Ouatedephoque!

Le pire? On ne voit *aucun* monstre dans le film. C'est un narrateur qui nous en parle.

Aussi, une partie du film a été tournée en 1961. Mais faute de fonds, tout a été arrêté. Un réalisateur a acheté trois ans plus tard les scènes tournées et il a décidé de terminer le film avec d'autres acteurs, sans expliquer pourquoi les personnages avaient changé de visage et de corps.

Hé, hé... Je vais m'amuser.

Nicolas ne m'a pas fait payer parce que je lui ai dit que j'allais écrire une critique dans *L'Écho des élèves desperados*.

Parlant du journal de l'école, il est clair que si Valentine y reste, avec son obsession malsaine pour les chatons et autres chats qui portent un chapeau de père Noël, moi, je débarque.

Plus question de travailler avec elle.

Madame Indubitablement a trahi ma confiance et je ne le prends pas.

Je sais que ce n'est pas mon journal, que c'est un travail d'équipe. Mais je suis la rédactrice en chef et c'est ma vision, pas celle d'une *félinopathe* (psychopathe des chats, je viens d'inventer le mot).

Monsieur Patrick avait l'air d'accord avec moi.

(...)

J'ai encore plein de trucs à raconter au sujet de mon voyage.

Mais avant tout, je veux mentionner l'état de santé de Mom.

Dans les circonstances, elle va bien.

Là-bas, elle est restée dans la chambre les 12 jours, sauf lorsqu'on est allés au marché.

Elle a lu et elle a dormi.

Elle était de bonne humeur, mais n'a presque rien mangé.

Tout lui donnait mal au cœur.

Pourtant, IL FAUT QU'ELLE MANGE.

Il faut que son corps reprenne des forces pour combattre le méchant cancer qui la gruge.

Qui a le goût de manger quand la simple vue d'un morceau de pain lui lève le cœur?

Elle a rendez-vous demain à l'hôpital avec son oncologue (médecin spécialiste du cancer) pour établir un plan d'attaque.

Les six prochains mois seront cruciaux, même si ce genre de maladie peut réserver des surprises.

Un jour à la fois, comme Mom dit.

(...)

Ça sonne! C'est Matouuu!

Monstre à gogo, tiens-toi prêt!

Là, on parle !

Publié le 7 janvier à 23 h 45
Humeur: Enragée

> **Soirée à gogo**

Mathieu vient de partir.

Ça s'est relativement bien passé.

J'étais contente de le revoir, lui aussi.

Mais...

Mais il m'a parlé de Valentine.

Et ça a massacré mon humeur.

Il a passé beaucoup de temps avec elle pendant les Fêtes.

Ils sont allés ensemble au *Boxing Day* et ils ont «tripé vraiment fort».

Comment tu peux «triper vraiment fort» dans un centre commercial rempli à craquer de consommateurs fous furieux qui s'entretuent pour un oreiller de massage shiatsu à infrarouge et à thermothérapie pour le fessier à 15 % de rabais alors que PERSONNE n'a besoin de ça?

Selon Mathieu, Valentine est une fille super chouette.

Et moi? Je suis quoi? Un pot de margarine aux trois quarts vide avec des miettes de toasts dedans?

Et pour le massacre du premier numéro de *L'ÉDED*, Mathieu l'a défendue en disant que c'était «audacieux».

Si elle avait collé dans le journal des dizaines de photos d'une cinquantenaire fausse blonde au sourire ahuri avec une carotte électrique dans une narine, ça, ça aurait été « audacieux ».

Parce que ça aurait été complètement *nawak*.

Et inattendu.

C'est « *OMG*, ils ont osé ».

Mais une ribambelle de *Felis silvestris catus,* mammifères carnivores de la famille des félidés, animaux domestiques les plus répandus de la planète ?

Des chats, il y en a partout !

Je suis sûre que s'ils le pouvaient, les publicitaires leur feraient vendre du papier hygiénique. (Le message dans mon oreillette me confirme que ça se fait depuis des dizaines d'années. La fin du monde est proche.)

Plus petite, j'ai déjà eu un chat. Il s'appelait Satan. C'est mon frère qui avait trouvé le nom, c'était un cadeau d'anniversaire. Il s'en est désintéressé quand il a réalisé que jamais il n'allait pouvoir l'entraîner à faire ses besoins sur la cuvette des toilettes et lui enseigner à tirer la chasse d'eau comme il l'avait vu dans un film.

Un chat, c'est indépendant et il n'a qu'un seul maître : lui-même.

La personne qui le nourrit, lui offre un toit et doit faire le ménage de sa litière une fois aux trois jours ? C'est son esclave.

La seule fois où j'ai essayé de le promener en laisse, il a laissé des traces avec ses griffes dans l'asphalte.

C'est sans compter que chaque fois qu'il allait dehors, le gros con faisait ses besoins dans mon carré de sable *en me regardant* même si je lui faisais signe d'arrêter. Puis il grimpait sur la plus haute des branches dans l'arbre planté en avant de la maison et se mettait à miauler comme s'il se faisait arracher les griffes, les unes après les autres.

Combien de fois mon père a-t-il dû aller le chercher?

Et Satan, qu'est-ce qu'il faisait? Il se défendait! Fallait que Pop porte un casque de moto et des gants de joueur de hockey pour ne pas être blessé!

Finalement, Pop a réglé le problème du chat. Il s'est tanné et il a mis le feu à l'arbre pendant que le chat miaulait au sommet.

– On va lui donner une bonne raison de se plaindre, a dit Pop pendant qu'il aspergeait le tronc d'essence, un lance-flammes sur le dos.

Mais nooon. Je niaise. ☺

Pop a pris sa mitraillette de militaire et il a tiré sur le chat en lui criant des insultes que je ne peux pas réécrire ici.

Une dizaines de balles et c'en était fait du *Felis silvestris catus*.

Mais nooon. Je niaise. ☺

On l'a donné à une de nos voisines. Une personne âgée qui était seule.

La pauvre, elle avait perdu un peu la tête, elle l'a fait cuire au micro-ondes parce qu'elle croyait qu'il avait froid.

Mais nooon. Je niaise. ☺

Un jour qu'il est sorti, il n'est plus jamais revenu.

C'est la stricte vérité.

Fred m'a dit qu'il l'avait déjà revu dans une infopub à la télé.

Satan est allé refaire sa vie à Hollywood.

Bravo, Satan ! Tu as cru en tes rêves.

Cela dit, je ne veux pas passer pour une illuminée, mais je crois que les chats contrôlent le monde.

Je n'ai aucun argument rationnel pour soutenir cette déclaration.

C'est une impression.

Les guerres ? La faute des chats.

La destruction de la couche d'ozone ? La faute des chats.

Les mimes ? La faute des chats.

Valentine ? *Clairement* une créature conçue expressément par des chats pour me faire suer.

(...)

Pour rendre ma soirée encore plus délicieuse qu'elle ne l'était, Mathieu a texté à Valentine pendant le film !

Pas une, deux ou trois fois, genre quatre-vingts fois ! Quand je lui ai demandé pourquoi il riait, il m'a dit que je ne comprendrais pas, que c'était une *inside*.

Super.

J'ai pas eu *du tout* l'impression d'être rejetée. ☹

Poche.

Bien sûr, Valentine a demandé à Mathieu de me saluer.

Elle a voulu faire passer ça pour de la gentillesse.

Mais ce n'en était pas.

C'était plutôt une manière de me faire comprendre que même si on était ensemble physiquement, Mathieu et moi, c'est avec elle qu'il était.

C'est affreux à avouer, mais je la déteste *tellement*.

Elle sait que Mathieu est mon *chum*. Pourquoi elle tourne autour de lui? Pourquoi elle passe son temps avec lui? Pourquoi elle lui écrit quand elle sait qu'il est avec moi ?

J'y ai pensé longuement et ce qui s'est passé avec le journal n'est pas un truc anodin. Pas une idée de dernière minute pour étonner ou pour laisser exprimer l'artiste en elle ou quelque chose d'aussi ridicule.

C'était prémédité.

Dès qu'elle a demandé à Monsieur Patrick de lui montrer comment fonctionnait le logiciel de mise en pages, elle savait ce qu'elle allait faire.

Elle a profité de mon absence pour me montrer qu'elle peut, elle aussi, diriger un journal.

Elle a voulu me montrer que j'allais l'avoir dans les jambes, que je n'allais jamais avoir le champ libre.

Lorsque j'ai obtenu le poste de rédactrice en chef, elle a été trop affable avec moi.

Comme si ça ne la dérangeait pas.

C'était pour m'amadouer.

Pour que je baisse ma garde et que je devienne vulnérable.

Ma mononucléose et mon voyage lui ont laissé le champ libre.

Arghhh ! Je déteste me sentir comme ça.

Je vais me coucher.

****

SENTEZ-VOUS EN SÉCURITÉ DÈS MAINTENANT !
Vous arrive-t-il d'avoir peur pour votre intégrité physique? Que ce soit avec des collègues de travail, des membres de votre famille ou un inconnu louche dans une ruelle sombre? Ne cédez plus jamais à la peur en vous procurant une AK-47, l'arme d'assaut la plus fiable du monde. Facile d'entretien, robuste et accessoire de mode indispensable, cette mitraillette vous séduira avec ses 600 coups par minute et son allure de béquille russe.
www.onenfaitaussidesroses.comn

****

Oh, la vac...

Publié le 8 janvier à 1 h 05
Humeur: Furax

> **Ça bouille**

Bien entendu, je ne peux pas dormir.

Gracieuseté de Valentine !

Tellement hypocrite, cette fille. Réglisse noire vicieuse.

À la limite, je préfère des personnes comme Jimmy, qui nous en donne pour notre argent quand on le connaît. C'est un gars désagréable - il ne va pas s'excuser à Nath, j'en suis sûre - et il ne s'en cache pas.

On sait à quoi s'en tenir avec lui.

Pas avec Valentine...

Le pire est que je me suis confiée à elle.

Des trucs que je n'aurais pas dû lui dire parce qu'elle pourrait s'en servir contre moi.

Je sais que cette fois, je ne suis pas paranoïaque.

Elle empiète sur mon territoire.

En fait, elle ne se contente pas de mettre le pied dessus, elle y construit un château en canettes où on vend des cigarettes illégales pendant qu'un obèse morbide fait crisser ses pneus avec son quatre roues !

J'ai eu l'air bête avec Mathieu.

Plusieurs fois, il m'a demandé ce que j'avais, j'ai dit : « Rien. »

C'était faux, bien entendu. Je rêvais d'épiler les jambes de Valentine avec un épluche-patates (je dois faire honneur à mon titre de Tueuse de l'épluche-patates) !

Si Mathieu n'a pas compris pourquoi j'étais fâchée, c'est qu'il est insensible comme un prof qui donne 30 minutes, pas plus, pour faire un examen alors qu'on en aurait besoin de 75.

Pourquoi Mathieu n'a pas cessé de texter à Valentine quand il a vu que ça m'offusquait ?

On ne s'est pas vus depuis presque deux semaines, me semble que c'est normal que je veuille être SEULE avec lui ?

Si j'étais malpolie, j'enverrais un texto à Mathieu pour lui dire ma façon de penser.

Mais bon, il est pas mal tôt.

Hum...

Tant pis. Je suis malpolie.

Et le temps, c'est relatif. En France, il est sept heures du matin.

Je ne vais pas l'attaquer immédiatement. Je vais y aller en douceur pour ne pas le brusquer.

Namasté : `Vraiment, tu ne sais pas pourquoi j'avais l'air bête avec toi ce soir? VRAIMENT?`

Voilà pour mon côté sucré.

Dès qu'il me réécrit, je lui fais voir mon côté papier sablé.

Oh ! Il vient de me répondre !

Mathieu : Je ne sais pas. T'es menstruée?

Ah ben %*(/&!?&*/!😵)

La pire réponse qu'il pouvait m'offrir.

Cette équation «air bête = règles», je n'en peux plus!

Comme si les 24 jours sur 28 où je ne les ai pas, je n'avais pas le droit d'être fâchée.

C'est *nawak*, puissance 1000.

Namasté : Je ne suis pas dans ma semaine. Je vais te donner un calendrier avec de gros cercles autour des dates où ça va arriver, comme ça, tu vas pouvoir utiliser cet argument poche.

Prochaine réponse, si c'est le meilleur *chum* au monde comme je le pense (pensais?), il va me demander pardon.

Voici sa réponse :

Mathieu : LOL

LOL? LOL! Nooon!

Namasté : Je ne blague pas! On ne s'est pas vus pendant deux semaines et tu as passé la soirée à texter à Valentine. C'est nul.

Mathieu : C'est ton film qui était nul.

Namasté : Euh, c'est que je suis AU COURANT. C'est le but de l'exercice. Je voulais passer une soirée avec TOI, pas avec Valentine.

Mathieu : O.K., t'es, genre, jalouse?

Jalouse, moi? EXTRÊMEMENT.

Namasté : Rapport? Je ne suis pas jalouse du tout. Tu aimerais que je texte à un autre gars quand on est ensemble?

Mathieu : Ça ne me dérangerait pas.

Namasté : Menteur! Tu te sentirais rejeté comme je me suis sentie ce soir.

Mathieu : Valentine te fait dire bonjour.

QUOI? 😮

Namasté : Tu lui textes encore?

Mathieu : Non, non. Je suis chez elle.

QUOI X 1000?!?!

Namasté : Qu'est-ce que tu fais chez elle?

Mathieu : Pas grand-chose. On *chill*. On joue au Play.

O.K., là, je vais péter un plomb.

Il est 1 h 45 du matin et il est chez Valentine.

Je capote.

Respire, Nam. Respire.

Namasté : Il n'est pas un peu tard?

Mathieu : LOL, oui, maman.

Maman? Il m'a appelée « maman »!

J'arrête tout.

C'est trop pour moi.

Pas trop mon genre, mettons...

Publié le 8 janvier à 9 h 27
Humeur: Maussade

> **On se calme**

Superbe nuit extra relaxante, remplie de rêves magiques où bébés pandas, chute de plumes blanches et masseurs norvégiens musclés étaient au rendez-vous.

Tu parles...

Je me suis endormie à trois heures du matin, épuisée d'avoir trop pleuré.

Quand j'ai entendu Mom se lever, j'ai enfoui la tête dans mon oreiller pour qu'elle n'ouïsse pas mes pleurs.

(Ouïsse, du verbe ouïr, entendre, wow, je suis fière d'avoir pu placer ce mot conjugué sur mon blogue!)

Mais parce que Mom, c'est Mom, ses oreilles bioniques ont capté ma détresse.

Elle m'a remis dans le droit chemin et m'a donné des conseils «de couple».

Primo: Mathieu n'a pas la pensée magique, il ne peut pas deviner ce que je pense. Quand il y a quelque chose qui ne va pas, je dois lui dire.

Secundo: Mathieu est libre de faire ce qu'il veut de son temps et avec qui il veut.

Tertio: après des jours de séparation, c'est normal que Mathieu et moi ne soyons pas sur la même longueur d'ondes. Ça peut prendre quelques jours avant de revenir.

Quarto : là où j'ai raison, c'est dans l'attitude de Mathieu. Il aurait dû éteindre son téléphone cellulaire ou, du moins, l'ignorer pendant qu'il était avec moi. Faut juste que je lui demande GENTIMENT.

Quinto : dans le cas où le plan de Valentine est de m'embêter, la pire manière de réagir est de capoter comme je l'ai fait. Elle me tend un hameçon avec un vers bien dodu dessus, faut juste pas que je morde. Plus je mords et plus ça donne du plaisir à Valentine. Facile à dire...

Sexto : Mathieu m'a écrit qu'il chillait avec Valentine et qu'il jouait au Playstation. Jusqu'à preuve du contraire, il me dit la vérité. Évidemment, mon imagination fertile a créé des scénarios où ces deux-là s'amusaient à s'explorer avec des gants pour examens non médicaux... Rien de tout cela ne s'est passé (en tout cas, pas avec des gants ☺). Je dois rester terre-à-terre. M'appuyer sur des faits pour me forger une opinion. Et surtout arrêter de dramatiser.

Septimo : j'ai la plus formidable maman du monde !

(...)

Je viens d'envoyer un texto à Matou pour lui demander s'il a bien dormi.

Je ne sais pas à quelle heure il s'est couché, mais il doit encore dormir.

Des fois, il se réveille à une heure de l'après-midi.

Je vais le laisser tranquille.

Déjà que j'ai dû passer pour une folle finie la nuit dernière...

(...)

Je vais continuer à raconter mon périple dans le Sud, question de me changer les idées.

Mom, Pop, Fred et moi, on a pris l'autobus à partir de l'aéroport jusqu'à l'hôtel.

Il faisait super beau. Le ciel était sans un seul nuage et on crevait de chaleur.

Une dame à mes côtés n'arrêtait pas de se plaindre qu'il faisait TROP chaud. Elle avait hâte d'être à l'hôtel pour jouir de l'air conditionné.

Tsé, la femme se paie des vacances dans un PAYS TROPICAL et elle chiale parce qu'il fait trop chaud.

C'est comme la fille qui fait du ski et râle parce qu'elle trouve qu'il y a trop de neige.

On est passés devant une plage et c'est à ce moment que Fred a perdu TOUS ses moyens.

Pourquoi ? Parce qu'il a vu sur la plage une femme en monokini (pas de haut, juste le bas).

Le jouet préféré de Youki, mon p'tit chien d'amooour, est un toutou en forme de cœur avec des yeux, des bras, des jambes et un chapeau melon.

Je devrais plutôt écrire « était » parce qu'il n'a plus de bras, il ne lui reste qu'une jambe, un œil qui s'est déplacé sur la jambe restante (sais pas pourquoi) et le chapeau melon est plutôt devenu un chapeau pelure de banane.

Pas parce que Youki l'a maltraité, mais plutôt parce que Fred l'a un jour mis dans le mélangeur. Comme ça. Pour le *fun*.

Youki capote sur cet énergumène de toutou de haute technologie. Parce que lorsqu'on appuie sur son ventre, il fait un bruit aigu.

À ce moment-là, mon chien devient fou: il saute sur place, tourne sur lui-même, jappe, se roule par terre et saute avec courage dans un cerceau de feu.

Mon frère, quand il a vu cette dame aux seins nus, a réagi *exactement* de la même façon que Youki (sauf se rouler par terre, pas de place dans l'autobus pour faire des tonneaux).

Voyons voir un peu ce qui l'a rendu ainsi...

Seins: Partie antérieure du thorax humain où se trouvent les mamelles. Chez la femme, les seins se développent lors de la puberté. Ils servent à nourrir son futur bébé et viennent en différentes tailles et formes. Sont constitués de tissus adipeux, de glandes mammaires, de conduits lactifères, d'aréoles et de mamelons. Aussi appelés poitrine, buste et, plus familièrement, boules, jos, nénés, totons, tétons, nichons, lolos, melons, obus, *boobies* et j'en passe. Exemples d'utilisation des synonymes précités : «Tu as mis ton *rack-à-jos* à l'envers» ou «Un conseil: si tu veux éviter que tes boules tombent avec le temps, marche sur les mains.»

Voilà pour le concret.

Dès que mon frère a vu cette dame, il été happé par l'idée fixe de voir une femme aux seins nus sur la plage (ou ailleurs, mais Mom et moi, on ne compte pas, ce serait trop *weird*).

Sitôt arrivé à l'hôtel, il est allé sur le balcon pour zieuter la plage à moins de 200 mètres.

Puis dès qu'il a pu, il s'y est rendu et, tel un prédateur affamé, est parti à la recherche de femmes en monokini à reluquer.

Je sais qu'il n'est pas seul : quelques gars de ma classe sont de vrais obsédés. Mettons qu'on dit le mot « vulve », ils se mettent à avoir des convulsions et à tailler frénétiquement leurs stylos à bille.

Ils sont fous, ces garçons !

La faute à qui, selon notre prof d'éduc ? Les hormones.

C'est de leur faute si les êtres humains font des bébés et se multiplient depuis des centaines de milliers d'années.

J'ai dit à mon frère d'arrêter d'agir comme un maniaque, il a répliqué qu'il ne savait pas de quoi je voulais parler.

Bref, comment s'est passée sa chasse ?

Pas très bien. Voici pourquoi :

- Les seules femmes qu'il a vues qui ne portaient pas de haut de bikini avaient plus de 75 ans.
- À quelques reprises, il a vu de volumineuses poitrines, mais elles appartenaient à des hommes souffrant d'embonpoint.
- Toutefois, un jour avant de partir, il a cru que son souhait le plus cher allait être exaucé (au diable le cancer de Mom) lorsqu'une superbe blonde aux cheveux jusqu'aux fesses et aux jambes de fée est passée devant lui, sans trace de haut de bikini ; il a bondi de sa chaise et

a fait comme si de rien n'était. Il est revenu traumatisé : sa grande blonde aux cheveux de blés portait une moustache à la Astérix. (C'était probablement un guerrier gaulois, parce que eux aussi ont droit à des vacances.)

Et moi, est-ce que j'ai vu de beaux mecs ?

Bof. Certains des sauveteurs étaient sexy, je l'avoue.

Mais rien pour faire des roulés-boulés. Et aucun qui n'arrive à la cheville de mon Matou d'amouuur si chaud en maillot de bain.

J'ai plutôt eu droit à des parades ininterrompues d'hommes bedonnants et poilus (la moustache, toujours la moustache) en Speedo dont plusieurs - je ne m'explique pas pourquoi - portaient des bérets.

Pour me remettre de ces images d'horreur que je viens de faire réapparaître dans ma tête, je vais aller lire.

Yo, Greg, ça boume ?
Namx♡x

Publié le 8 janvier à 14 h 54
Humeur: Indécise

> Mathieu m'a rassurée, pas Tintin le maléfique

Je viens de texter à Mathieu.

Il dit que Valentine n'est que son amie, rien de plus.

Ça me soulage, même si je le savais déjà.

Je voulais qu'il me le dise (me l'écrive, en fait).

Sauf que mon calme existentiel a été de brève durée puisque Tintin - qui est revenu de chez sa mère cet après-midi - s'est chargé de semer les graines du doute dans mon esprit.

- Ça ne se peut pas, un gars et une fille qui sont amis. Il y a toujours quelque chose entre les deux.

- Mais oui, ça se peut. Toi, par exemple, tu es mon ami. Pas plus.

- Qu'est-ce qui te fait dire que je ne suis pas amoureux de toi?

- *Come on*, Tintin. Ça ne se peut pas puisque tu n'as pas de sexualité.

- Ouain. Mais moi, je ne te considère pas comme une amie. Plus comme une...

Il s'est gratté le menton et a fixé le plafond.

- Je te considère plus comme... Laisse-moi y penser... Comme une agente de sociabilité.

- Une agente de quoi?

- De sociabilité. Tu me permets d'interagir avec un autre être humain que moi. Tu es comme une fonctionnaire de l'autrui.

- Ouache!

- O.K., attends, laisse-moi réfléchir. Attends. O.K., O.K., je l'ai: à mes yeux, tu es un *hobby*.

- Hein?

- Ouais, un *hobby*. Tu me divertis, tu es superficielle et je peux te mettre de côté sans que ça m'affecte.

- Ben là! C'est chien. Je préférerais être une agente de machin-truc. Me semble que ça aurait plus de caractère.

- L'important, c'est qu'un gars et une fille ne peuvent pas être seulement des amis.

- Pourquoi?

- Parce que c'est comme ça. Les gars et les filles sont programmés pour se multiplier.

- C'est *nawak*, ton explication. Tu as fumé un bonhomme de neige pendant les vacances, toi.

- Non, encore plus passionnant. J'ai fait une recherche sur le *swizzle* de Raspoutine.

- Qui?

- Grégory Raspoutine. Initialement, je m'intéressais au dernier tsar de Russie, Nicolas II. Mais je me suis plutôt passionné pour un ami de sa femme, un moine, qui avait supposément des pouvoirs magiques et les cheveux gras. En 1916, après l'avoir empoisonné, tiré et noyé, des conspirateurs l'auraient émasculé.

- O.K. Passionnant.

- Attends, ce n'est pas terminé. Le meilleur reste à venir.

- Formidable.

- Le *swizzle* a été retrouvé proche de son corps par une servante qui a décidé de le garder...

- Elle faisait quoi là, cette servante? Son jogging?

- Je ne sais pas. Elle passait par là.

- O.K., donc elle passe par là et elle heurte du pied le machin du cadavre de Raspoutine, regarde à gauche et à droite, se penche, le ramasse et le cache dans son chapeau de poils? Ça n'a pas de sens.

- Ce sont des détails, ce n'est pas important. Marie, la fille de Raspoutine, l'apprend et demande à la servante qu'on lui redonne ce qui appartenait à son père.

- O.K., je ressens un malaise.

- Elle l'a gardé jusqu'en 1977. Après sa mort, un collectionneur a acheté des effets qui appartenaient au père de Marie Raspoutine, dont la chose. Et tu sais où elle se trouve, maintenant?

- Marie Raspoutine?

- Non. La chose.

- Dans les poubelles?

- Non! Dans un musée à Saint-Pétersbourg, en Russie.

- Formidable.

- Tu veux savoir la meilleure?

- *Nope*.

- Ce ne serait pas le pénis de Raspoutine, mais un concombre des mers ! Regarde ce que j'ai trouvé sur le Net.

Avec mes deux index, je fais une croix en direction de Tintin comme s'il était le diable réincarné.

- Non, non, non. Ça va aller. Déjà que je ne vais plus jamais regarder un concombre de la même façon.

- C'est donc ce qui met fin à l'incroyable épopée du *swizzle* de Raspoutine.

- Suuuper. Et à part ça, tes Fêtes ? Comment c'était avec ta mère ?

Un nuage gris a assombri les yeux de Tintin.

- Pourquoi tu veux savoir ça ?

Son ton était limite menaçant.

- Euh, je sais pas. Pour savoir. Parce que je m'intéresse à toi.

Mom était derrière Tintin. Elle m'a fait signe de ne pas insister.

Ça a jeté un froid et Tintin est parti dans sa chambre.

Je ne sais pas ce qui se passe dans la famille de Tintin, mais c'est pas jojo.

C'était la première fois que j'abordais le sujet avec lui.

Échec lamentable.

- Oups, j'ai dit à Mom. Je viens de gaffer, non ?

Elle a haussé les épaules.

- Pas vraiment. Tu ne peux pas savoir.

– Je ne peux pas savoir quoi?

– Laisse faire.

– Non. Dis-le-moi.

– Non. C'est personnel. Si Tintin veut t'en parler, il va le faire lui-même. Je me suis engagée à ne rien dire.

Arghhh!

– Allez, Mom. Donne-moi un indice, au moins.

– N'insiste pas. Je ne le ferai pas. Un jour, peut-être que Tintin voudra en parler. Mais pour l'instant, ce n'est visiblement pas le cas.

Je n'ai pas insisté parce que je sais qu'avec Mom, même si je la menace de lui faire un traitement de canal avec une perceuse, elle ne va pas céder.

Je veux savoir ce qui s'est passé dans la vie de Tintin qui l'éloigne de sa famille et lui permet de vivre dans la nôtre.

J'imagine plein de trucs ignobles: il a été abusé sexuellement, il a été battu, vendu aux enchères, échangé pour un carton de cigarettes, exploité dans un cirque comme l'enfant-singe, qui sait!

Il est tellement *weird*, c'est SÛR qu'il s'est passé quelque chose de grave.

Tintin est comme un frère pour moi.

Je l'aime bien, même si des fois il me provoque en me remettant en question.

Ce n'est pourtant pas écrit sur mon front: «Bien agiter avant d'utiliser.»

Je ne peux même pas me servir de ma tactique de harcèlement subtil parce qu'il va immédiatement réagir.

Je vais attendre.

Pas le choix, même si la patience est située au 654e rang de mes qualités, derrière «résistante aux moisissures» et devant «reprend sa taille initiale après avoir été piétinée».

(...)

Mon frère veut que je pratique avec lui son nouveau (non) «talent».

Il ne peut pas attendre, c'est urgent, il paraît.

J'en reparlerai plus tard.

Si nul que ça
en est mignon
Namxox

Publié le 8 janvier à 16 h 05
Humeur: Fumeuse

> On le sait que c'est ton ami, Chose!

Calme-toi, Nam.

Calme-toi.

Je suis allée faire un tour sur Fesse-de-bouc et la belle (tousse, tousse) Valentine a créé un album de photos prises avec Mathieu pendant les Fêtes.

Ça s'appelle «Moi et mon *best*».

Mes yeux sont sortis de mes orbites quand j'ai vu le nombre de photos qu'elle a téléversées: 258.

Deux cent cinquante-huit! Elle est folle!

Je les ai toutes regardées, bien sûr.

Et pour chacune, j'ai poussé un juron différent.

Tous les clichés ont été pris par Valentine avec son cell. Sur plusieurs, ils sont ensemble, un peu trop collés à mon goût.

Valentine n'a fait aucune sélection, de sorte que sur certaines d'elles, tout est flou.

Comme si elle voulait montrer qu'elle avait passé BEAUCOUP de temps avec Mathieu.

Ils ont l'air d'avoir *vraiment* du plaisir et ça, ça m'horripile.

C'est avec MOI qu'il doit s'amuser avec autant d'ardeur, pas avec elle!

Je n'aurais pas dû partir en voyage.

Il aurait fallu que je reste ici et que je tienne Mathieu occupé.

Valentine n'aurait alors pas pu en profiter pour l'ensorceler.

C'est une sorcière, cette fille !

Je la déteste. Et je me déteste de la détester parce qu'elle ne mérite même pas que je la déteste.

C'est moi et moi seule qui suis responsable de l'importance que je lui accorde.

Je sais que je ne dois pas être jalouse, mais je ne peux pas m'en empêcher.

J'ai lu en ligne que la jalousie révèle un manque de confiance en soi. Shakespeare a écrit dans *Othello* que c'est comme un « monstre aux yeux verts qui produit l'aliment dont il se nourrit ».

Je ne veux pas être comme ça !

Ça ne me ressemble pas.

Comme si j'étais sous l'emprise d'une méchante bête qui se cache dans ma prostate et sort quand je me sens menacée par une autre fille.

(Mon oreillette m'indique que les femmes n'ont pas de prostate ; d'accord, la méchante bête se cache dans mon pancréas, d'abord. Contente, oreillette ?)

C'est laid, la jalousie. Et ça pue. Et ça a du poil à des endroits où ce n'est pas supposé en avoir.

Mathieu peut passer le temps qu'il veut avec qui il veut.

Il ne m'appartient pas.

Je ne peux pas le mettre en laisse et le forcer à dormir dans une niche dans ma cour.

Quoique...

Mais non !

Il est libre. Il ne me doit rien.

Quand même... C'est dur à vivre.

Je ne m'aime pas quand je réagis comme ça.

(...)

J'ai regardé sa page Fesse-de-bouc et je suis encore plus troublée...

Le 26 décembre, elle a laissé un message sur son mur à l'intention de Mathieu : «Journée *full* intense. N'est-ce pas, Mathieu ? On recommence quand ? LOL».

C'était le jour du *Boxing Day*.

Pfff... Intense. Ça paraît qu'elle n'a jamais sauvé la vie d'une autruche !

Je me demande bien ce qui a pu être intense.

Je ne dois pas laisser mon imagination prendre le dessus.

Je dois rester rationnelle.

Je vais tenter d'en savoir plus.

Subtilement.

(...)

Abordons le cas de mon très cher frère.

Avant de partir, Fred a emprunté à la bibliothèque municipale un livre genre *L'art du ventriloquisme pour les nuls*.

Il aurait fallu qu'il trouve une collection « Pour les vrais nuls », mais bon, elle n'existe pas encore.

Il s'est dit que pendant les vacances, entre un *drink* et une attaque de méduse, il allait apprendre à parler sans bouger les lèvres.

Il veut se donner de la crédibilité comme lutteur, vu qu'il s'appelle Le Ventriloque.

Pour Fred, c'était une question de quelques minutes d'entraînement.

Pas si facile.

En fait, ça prend des années d'apprentissage. Il faut entraîner les muscles du visage, la langue, les cordes vocales et le diaphragme.

Dans le livre, on recommande aussi aux futurs ventriloques de se laisser pousser une moustache (encore la moustache!) parce qu'elle permet de cacher le mouvement des lèvres.

On oublie ça pour Fred.

– Je pourrais me faire allonger les poils du nez? il m'a dit dans un moment d'illumination. Il y a sûrement un moyen de les étirer. Tu ne fais pas ça avec tes cheveux, toi, tous les matins?

– Ouais. Mais je ne me mettrais jamais un fer plat dans les narines.

– Ce ne doit pas être si difficile.

– En tout cas, tu ne mets pas MON fer plat dans ton nez. Tu vas aller t'en acheter un.

On a fait quelques exercices qui se sont révélés tous pitoyables, sinon catastrophiques.

Rien de mieux que de foncer pour apprendre rapidement.

J'ai demandé à Fred d'aller voir des inconnus et de leur poser des questions que l'on retrouvait dans mon dictionnaire français-espagnol.

Des trucs qui permettent de se débrouiller dans des situations délicates comme dans «Où sont les toilettes?», «Parlez-vous allemand, parce que moi, pas?» ou «À l'aide, j'ai de la petite peau coincée dans ma fermeture éclair!».

Sauf que moi, je trouvais ça ordinaire.

Donc j'ai décidé d'y ajouter un mélange d'épices style Namasté.

(À noter: lorsque Fred fait le ventriloque, ses yeux sont grands ouverts, ses narines sont retroussées et il parle comme si un dentiste diabolique venait de lui anesthésier non seulement la bouche mais le visage au complet.)

À une des serveuses du restaurant, j'ai fait dire à Fred, sans bouger ses lèvres: *Mis Pezones son de forma triangular*, ce qui, en français, signifie: «Mes mamelons sont en forme de triangle.»

Je ne sais pas trop ce que la serveuse a compris, mais elle a laissé tomber son plateau et est partie à courir en criant: *Platillos¡* («Cymbales»?).

Fred m'a regardée d'un air alarmé.

– Ça va, j'ai dit. Sont juste pas habitués aux ventriloques. Elle doit penser que t'es possédé ou quelque chose du genre.

À la dame qui tressait les cheveux sur la plage, je lui ai fait dire en ventriloque : *Cuando me curso, mi Entrepierna becho couïc couïc el ruido del queso en grano gastos.*

Ce qui signifie : « Quand je cours, mon entrejambe fait couïc couïc, le bruit du fromage en grain frais. »

La pauvre s'est mise à manger du sable en hurlant : *Puesto¡* (« Mouchoir » ?).

Enfin, question de compléter un tour du chapeau, Fred a abordé le joueur de guitare ambulant dans le hall de l'hôtel en lui disant : *Nadie me dijo que la gelatina de petróleo en batatas el mañana es buena.*

Ce qui donne, en français : « Personne ne m'avait dit que tartiner de la gelée de pétrole sur des rôties le matin, c'est bon. »

Les cordes de la guitare ont cédé les unes après les autres, et le pauvre musicien s'est agenouillé par terre et a fait comme s'il était dans un canot et que son instrument était une pagaie. Et il a ululé : *Zoukini¡*

Dans la langue de Molière : « Zoukini ! »

Je pensais que ça allait décourager Fred, mais non.

Il continue encore et toujours à s'entraîner et à effrayer des inconnus (et moi aussi, un petit peu). 🙁

Il y a une loi non écrite qui dit qu'habituellement, plus on s'entraîne, meilleur on est.

Eh bien ! cette loi ne s'applique aucunement à Fred.

C'est le contraire.

Plus il s'essaie au ventriloquisme, plus il s'enfonce dans la médiocrité.

Je crois qu'il atteindra bientôt le point de non-retour, là où le FBI devra le considérer comme l'Ennemi public numéro un (il est troisième présentement).

Rien pour aider, sa séance de lutte s'est « méga *full* bien passée ».

Misère.

Je vais souper.

Sa faute,
pas la mienne
Namx♡x

Publié le 8 janvier à 21 h 42
Humeur: Tourmentée

> **Meilleure soirée que celle d'hier, mais...**

Je reviens de chez Matou.

Et j'ai fait quelque chose dont je ne suis pas fière.

Vraiment pas.

J'ai honte.

Ça a bien commencé, tout de même.

Je lui ai texté après le souper pour savoir ce qu'il faisait.

Il m'a dit qu'il avait l'intention d'aller chez Valentine.

Namasté: Oh. Dommage. J'aurais aimé te voir.

Mathieu: Moi aussi. Je vais annuler.

Namasté: Mais non, franchement.

Mathieu: Mais oui, franchement.

Namasté: Tu vas faire ça pour moi?

Mathieu: Ouais.;-)

Est-ce que j'étais heureuse qu'il change d'idée? Hé, hé, hé...

Prends ça dans les dents, Valentine!

J'ai grimpé sur les épaules de Grand-Papi et il est venu me porter chez mon chum.

On a fait quoi? Hé, hé, ça ne s'écrit pas, ça se vit!

On a...

Oh misère, je vais être bannie du Net si j'écris ça...

On a...

Je ne peux pas.

C'est le genre de chose qui peut affecter ma réputation pour le reste de mes jours.

Quand je vais poser ma candidature au poste de présidente de l'univers, un journaliste va dévoiler le comportement obscène que j'ai eu ce soir avec Mathieu et cette révélation va ruiner mes chances de réorganiser les constellations pour que la Grande Ourse ressemble à un ours adulte, que la Petite Ourse ressemble à un bébé ours et que l'Écu de Sobieski ressemble à, euh... Je vais le laisser comme il est, finalement.

D'accord, d'accord, public en délire, je dévoile ce que Matou et moi, on a fait de si salissant ce soir... Un gâteau !

À la vanille. Il était excellent.

Même si on a mangé les trois quarts du mélange avant de le mettre au four, ce qui a donné genre quatre *cupcakes* et demi.

Et il y en avait plus sur les murs que dans le bol.

Mathieu m'a demandé d'approcher du malaxeur parce qu'il trouvait qu'il faisait un drôle de bruit.

Moi, la grosse nouille, je l'ai fait.

Il a levé les batteurs et j'ai été éclaboussée de mélange.

Je ne m'attendais pas à ça !

J'en avais partout : visage, chandail, cheveux et même dans le dos (mystère de la physique à élucider plus tard).

Il riait tellement fort que son frère est sorti de sa chambre en *bobette* pour nous demander de faire moins de bruit parce qu'il n'arrivait pas à se concentrer sur sa mission ultra importante « de sauver le monde » - dans un stupide jeu vidéo, bien entendu.

Matou s'est excusé et il m'a nettoyé le visage avec sa langue (dit comme ça, c'est *full* dégueu, mais c'était très agréable).

On s'est aussi embrassés. Un baiser à la vanille : exquis !

Sauf qu'il n'était pas question que je me laisse faire.

Quand il a ouvert la porte du four, je l'ai poussé dedans et j'ai mis le frigo devant la cuisinière pour qu'il ne puisse pas sortir.

Et je l'ai regardé cuire.

Ça lui apprendra à salir mon corps et mes vêtements de déesse.

D'aaacord. Ce n'est pas vraiment ça qui s'est passé.

J'ai senti le mélange à gâteau et j'ai fait comme si quelque chose n'était pas normal.

– Je pense que tes œufs étaient pourris. Ça sent super pas bon.

– Hein ? a fait Mathieu. Ma mère les a achetés hier.

J'ai tendu le plat pour qu'il puisse le humer.

Dès qu'il a eu le visage au-dessus, je l'ai poussé dans le mélange.

Pas un petit peu. Un gros peu!

Quand il a relevé le visage, il portait un masque blanc. Gnac, gnac, gnac.

Ça été mon tour de nettoyer le dégât avec ma langue.

Au début, c'était excitant, mais il y en avait tellement que j'ai fini par avoir mal au cœur.

Il a fallu que je demande à son frère de terminer ce que j'avais commencé.

Ah! Ah! *Nawak!*

(...)

Pendant qu'on faisait le gâteau, Valentine a texté genre 579 fois. Matou avait laissé le téléphone dans sa chambre, donc il n'a pas pu regarder les messages.

Mais dès qu'il a eu un instant, il s'est précipité dessus.

J'ai utilisé ma voix la plus langoureuse et je lui ai dit: «Que dirais-tu de passer une soirée avec moi seule?»

Il a laissé tomber le téléphone sur le lit et il a dit que c'était «une bonne idée».

Il est allé dans la salle de bains pour se laver le visage et les cheveux et il m'a laissée seule avec son téléphone cellulaire.

Parce que Valentine continuait à lui envoyer 60 textos par minute (même nombre que mes battements de cœur, j'ai calculé en appuyant mon index et mon majeur sur mon poignet tout en jetant un œil sur le chronomètre que j'ai toujours dans le cou [hein?]).

C'est à ce moment, à 149 862 072 kilomètres de distance, qu'il y a eu une tempête magnétique sur le Soleil, ce qui a provoqué une variation du champ électrique dans la ionosphère, produisant sur le téléphone cellulaire de Mathieu une succession de bruits de détresse... Eh bien, je ne pouvais pas laisser faire ça, j'ai un cœur, moi, alors je l'ai pris et j'ai essayé de trouver un orifice pour lui faire le bouche à bouche (bouche à trou, plutôt) et PAF, je me suis retrouvée à lire les messages de Valentine.

Tout ça à cause du soleil, explication scientifique (et *stupidique*) à l'appui.

Je n'ai pas eu le temps de tous les lire, bien sûr, parce qu'il y en avait trop. Mais j'ai quand même eu le temps d'en déchiffrer quelques-uns.

Rien pour écrire à sa mère, comme dirait Grand-Papi.

Des trucs «non pertinents», parlant de ma mère comme des émoticônes, une suite d'abréviations incompréhensibles («Euh euh jvas tu ou ki yenna kwoi?»), des photos de la litière lourdement bombardée de son chat, des paroles de chansons venues d'un autre monde et j'en passe.

Elle ne parle pas de moi.

Mais une chose m'a fait tiquer: elle l'appelle Matou.

Je ne le prends pas.

J'ai des droits d'auteur sur ce surnom.

Si elle veut l'utiliser, je dois lui faire signer un contrat qui stipulera que chaque fois qu'elle s'en servira, elle devra me verser un montant d'argent.

C'est non négociable.

J'ai dépensé une somme colossale d'argent en *R & D* (recherche et développement) pour le trouver.

Je suis la seule qui a le droit, légalement, moralement et philosophiquement (mettons) d'appeler Mathieu comme ça.

À la voleuse, je suis victime d'un larcin!

La Valentine, elle, n'a pas vu lorsqu'elle écrivait Matou, le sigle «©» qui apparaissait à côté. C'est copyright Namasté.

Qu'est-ce qui n'est pas clair là-dedans?

Faudra que j'en parle à mes avocats.

Problème: comment demander à Mathieu de ne pas se laisser appeler Matou par Valentine sans lui révéler que je suis allée lire ses messages?

Évidemment, dès que j'ai entendu la porte de la salle de bains s'ouvrir, j'ai remis le téléphone cellulaire à sa place et je suis allée me cacher dans la garde-robe.

– Coucou, j'ai dit à mon chum lorsqu'il est entré dans la chambre, surgissant de ma cachette.

– Qu'est-ce que tu faisais là?

– Oh, euh, savais-tu qu'il y a un univers parallèle là-dedans? C'est assez divertissant, quoique déconcertant. Ce sont les hommes qui accouchent. Je te laisse deviner par où. Indice: ce n'est pas par le nombril.

Matou s'est essoré les cheveux avec la serviette avant de me dire:

– Nam, t'es tellement *biz* quand tu veux. Je me demande si je dois en rire ou si je dois avoir peur de toi.

J'ai plaqué mes lèvres sur les siennes.

– Je crois que Valentine t'a écrit.

– Ah ouais ? Ce serait une première.

J'ai ricané.

– Dis, comment tu la trouves ? Je veux dire, physiquement.

– Namasté...

– Arrête, je suis sérieuse. Sois honnête.

– Je sais que c'est un piège. Tu veux entendre que t'es plus belle qu'elle.

– Mais non ! C'est ridicule. De toute façon, je sais que je suis plus belle qu'elle.

Je me suis moi-même surprise à être aussi superficielle. 😐

Je suis la première à crier (hurler !) que l'important, c'est la personnalité, pas l'enveloppe extérieure. Et à ajouter que de toute manière, la beauté, c'est subjectif.

– Elle est ordinaire, a fini par dire Mathieu.

– Ordinaire ? Comme, disons, de l'essence ?

– Ouais, c'est exactement ça, t'es vraiment la reine de l'analogie, Nam. Valentine est de l'essence ordinaire, tandis que toi, t'es de la suprême. Ton taux d'octane est pas mal plus élevé.

– Je ne connais rien aux autos, mais ça me flatte que tu me dises ça. Autre question : est-ce que tu la désires ?

Mathieu a écrasé ses fesses sur son lit.

– Nam, arrête de capoter. C'est une amie, c'est tout. Pas plus, pas moins. Je la connais depuis, genre, huit ou neuf ans. S'il y avait eu quelque chose entre nous deux, ça se serait passé avant.

– Donc, tu arrives à considérer qu'il aurait pu se passer quelque chose ?

– Nam, tu dérives.

– Ouais, O.K., peut-être un peu.

C'était bien, comme soirée.

Mathieu m'a rassurée.

Même si je ne prends pas que Valentine l'appelle Matou. Grrr.

Je n'ai pas hâte de la revoir, elle.

L'école recommence dans deux jours.

Je vais aller dormir en m'imaginant tremper le visage de Valentine dans un mélange à gâteau aux réglisses noires et aux requins blancs affamés.

Mouahahahaha !

T'es mieux d'être gentil
avec mon frère, Coco
Namxox

Publié le 9 janvier à 11 h 04
Humeur: Contrariée

> Je suis une grande couturière (pas du tout)

Schnoute de *schnoute*.

Je viens encore de me mettre les pieds dans les plats.

J'ai fait une promesse à Fred et j'aurais dû me la fermer.

Mon frère est totalement emballé par son projet de devenir lutteur.

Son premier entraînement s'est passé à merveille.

Il s'est vite intégré au groupe, il a fait des cascades (considérant que courir dans l'arène et se jeter dans les câbles en sont), il s'est même «blessé» et il n'a pas pleuré (il s'est cogné le coude sur un des poteaux, le pauvre).

Au début, les responsables l'avaient découragé, disant qu'il était trop petit, mais considérant le personnage «débile mental» qu'il a créé et l'enthousiasme «débile mental» qu'il démontre, ils ont décidé de lui donner une chance.

Samedi prochain, il y a un gala de lutte et il veut y participer - Le Ventriloque, plutôt, parce que Fred doit apprendre à laisser toute la place à son personnage.

Léo aussi est prêt à se lancer dans l'aventure, même s'il trouve ça «hautement ridicule, au point où ça pourrait devenir amusant».

Mais, comme tout ce qui concerne Fred, il y a plusieurs problèmes.

- Fred a eu très peu d'entraînement. Genre, je ne sais même pas s'il sait comment monter dans l'arène sans avoir besoin d'un hélicoptère capable de le poser au milieu.
- Mom n'est pas d'accord, elle trouve que c'est dangereux. Elle veut qu'il porte un casque et des genouillères. Et aussi une coquille parce qu'elle a vu, quand elle travaillait aux urgences, beaucoup de « traumatismes testiculaires qui auraient pu être évités ». Eh bien!
- Son adversaire, Coco le Gorille, mesure 30 centimètres et pèse 50 kilos de plus que mon frère. Ce qui veut dire que si on ramassait tout son gras, on pourrait sculpter un Fred taille originale.
- Il doit perdre. Parce que le Ventriloque est un méchant et Coco le Gorille, un gentil (dans sa mythologie, il s'est évadé d'un laboratoire où on testait des rouges à lèvres sur lui). Et la prise finale du Coco le Gorille, c'est « l'Épluchage de banane ». Aucune idée de ce que c'est, mais ça me fait peur.

- Il n'a pas de costume.
- Samedi, c'est demain.

Ouais. Fred et Léo vont se battre DEMAIN.

Et parce que je suis une sœur en or et que je veux aider mon frère à réaliser son (mauvais) rêve, je lui ai promis de lui confectionner un costume.

Faut que ça soit prêt pour demain, 20 heures.

Je ne suis pas nulle en couture. Méga nulle serait plus juste. Je n'ai jamais été capable d'enfiler une aiguille sans demander à Mom de m'aider. Et la dernière fois que j'ai cousu un bouton, j'ai aussi cousu mon doigt sur mon chandail.

En plus, Fred m'a imposé des conditions à respecter: faut que le costume soit noir, qu'il «respire» et qu'il soit facile à déchirer, vu la prise de l'Épluchage de banane (j'ai peur de Coco le Gorille!).

– Attends, a dit Tintin. Tu ne sais même pas si elle est capable de faire ça.

Mon radar hypersensible m'indique qu'une attaque en règle contre mes talents de designer-couturière-styliste-instigatrice d'une nouvelle mode se profile à l'horizon. Pas question de me laisser faire.

– Pardon, monsieur. Je suis capable de coudre des vêtements.

– Il y a quelques années, tu n'avais pas essayé de faire une espèce de tente pour accueillir 100 personnes?

– Ce n'était pas une tente, mais une jupe. Et je m'étais trompée dans les mesures. Personne n'est parfait les premières fois.

– Il y a se tromper et se tromper. Tu avais assez de tissus pour recouvrir le toit du Stade olympique deux fois.

– Ça va, ça va. J'étais en sixième année. J'ai progressé depuis.

– Ah oui? C'est pour ça que la dernière fois que je t'ai vue devant la machine à coudre de ta mère, t'appuyais sur la pédale et tu faisais avec ta bouche des bruits de moteur, comme si t'étais en auto, vroum, vroum.

– *Shiiite.* Je pensais que personne ne m'avait vue.

Blague à part, je n'utilise plus JAMAIS la machine à coudre de Mom. C'est un instrument du démon !

Une fois que t'as passé les 327 étapes pour installer le fil correctement, ça ne prend qu'un clignement de paupière pour que tout s'emmêle.

Ma tente pour accueillir une centaine d'invités, c'était véritablement une jupe au départ. La dame au magasin de tissus m'a vendu un patron super facile.

Et par je ne sais quelle magie noire, lorsque j'ai passé le tout à la machine infernale, je me suis retrouvée, je ne sais comment ou pourquoi, à coudre ma jupe avec les rideaux du salon alors que j'étais dans la cuisine et qu'ils étaient encore fixés à leur tringle. 😕

Assez écrit. Je vais prouver à Tintin que je peux me débrouiller. Voyons voir à quoi ressemble l'habit d'un ventriloque.

Internet, montre-moi.

(...)

Il y en a pour tous les goûts, finalement.

En habit avec une cravate, avec un nœud papillon, en chemise, en t-shirt, il y en a même un qui est torse nu et qui affiche un sourire béat. N'ai pas osé cliquer sur la photo, pas sûre que c'était une marionnette assise sur son genou, plutôt un sac à pain avec une bouche.

Bref, je suis libre de faire ce que je veux, en autant que je respecte ses consignes.

Mais comment faire pour que le costume « respire » ? Si je colle dessus un gros nez en plastique, sur la poitrine mettons, est-ce que ce sera suffisant ?

(...)

Yé ! Je garde les jumeaux Max ce soir.

Je me suis ennuyée d'eux. Vraiment !

Il ne reste plus de coups pendables dans leur sac à malices. De quoi je pourrais m'inquiéter ?

Ça veut dire moins de temps pour confectionner les costumes de Fred et de Léo.

Je dois trouver une solution.

Ma réputation internationale est en jeu !

J'ai faim !
Namxox

Publié le 9 janvier à 16 h 04
Humeur: Sous pression

> Tais-toi, Nam. Compris?

Je ne sais pas si je vais apprendre un jour à me taire.

J'estime que le costume du Ventriloque pour Fred et Léo est avancé à 2 %. Après avoir fait quelques recherches sur le Net, j'ai essayé de trouver un tissu noir qui respirait.

Et je pars dans une heure pour aller garder les jumeaux Max.

Étant donné les risques de devoir les contrôler à l'aide d'un tuyau d'arrosage de pompier, je ne pourrai pas poursuivre mon travail de costumière.

Sans compter que mon frère me demande toutes les sept secondes si «ça avance».

Je lui réponds chaque fois: «Non, ça recule.» Il trouve ça drôle. Pas moi.

Il me demande de ne pas le décevoir, demain sera pour lui le jour le plus important de sa vie, il compte sur moi.

- Et le jour de ma naissance? Ce n'est pas le plus important?

Pour seule réponse, Fred s'est mis à rire comme un possédé.

Parce que je n'ai vraiment pas de temps à perdre, voici la suite de mes péripéties de vacances.

Huh, huh, huh.

(...)

Pour Noël, Mom, Pop, Fred et moi avons décidé de nous offrir des cadeaux symboliques, entre autres raisons parce que le voyage a coûté cher.

Mais aussi parce que Mom n'avait ni l'énergie, ni le temps, ni le goût de magasiner.

Si c'était Pop qui s'en était occupé, on se serait tous ramassés avec des tapis pour automobile - qui, comme par hasard, auraient très bien fait dans son véhicule. Ou des cartes-cadeaux pour un changement d'huile et de filtre à air.

Pour souligner Noël, on a quand même décidé de faire des échanges de cadeaux à moins de 10 dollars.

J'ai pigé Mom.

Puis, j'ai testé mes talents de détective afin de découvrir qui avait pigé mon nom.

J'ai commencé par Fred avec une question savamment élaborée :

- C'est toi qui m'as pigée, mon cochon de mer préféré?

- Ouais.

- Hey! Tu n'es pas supposé le dire!

- Ben quoi? Tu me poses la question...

- Tu es mieux de me trouver un cadeau génial. Et une machine en forme de voiture de course pour rembobiner les cassettes VHS, c'est pas génial.

- Relaxe, petite sœur. Tu connais mon bon goût.

- Justement.

Le 24 décembre, nous sommes allés au marché public à la recherche de cadeaux et d'autres gogosses qu'on pourrait rapporter à nos connaissances, question de leur montrer qu'on n'a pas passé les Fêtes enfermés dans le sous-sol avec des faux palmiers, de la musique hawaïenne et des lampes de bronzage collées à la peau.

Moi qui m'énerve dès qu'une vendeuse me harcèle quand j'entre dans un magasin (j'ai le goût de lui introduire un cintre dans la bouche), j'en ai souffert un coup.

Les marchands là-bas sont collants. Même si tu es à un kilomètre de leur kiosque, ils continuent à essayer de te vendre leur camelote.

Et parce que tu es passé devant plusieurs autres vendeurs, ils font la file pour te convaincre.

En plus, ils te touchent. Ils prennent ton bras et t'attirent de force !

C'est proche du kidnapping !

J'ai besoin de ma bulle d'intimité. Si tu entres dedans (sauf avec Matou), je me transforme en cactus émotif.

Avec la chaleur écrasante, les chiens errants, les odeurs émanant des divers restaurants, les mouches, la poussière et mon frère qui me demande mon avis à chaque chapeau qu'il essaie, tous plus hideux les uns que les autres, je ne crois pas me tromper en affirmant que c'est une expérience comparable à un *bad trip*.

Il a fallu que Pop intervienne avec les vendeurs. Ça a bien tombé parce que j'étais sur le point de leur donner un coup de karaté. Ahhh ya !

Je comprends qu'ils doivent gagner leur existence.

Que leurs conditions de vie sont difficiles.

Les marchands voient les touristes comme des portefeuilles ambulants.

Mais quand ils vont jusqu'à grimper sur le dos des clients et à jouer de la batterie sur leur tête avec des tapettes à mouches pour attirer leur attention, il y a un problème.

Finalement, j'ai trouvé le marchand parfait : un vieil homme aveugle, sourd et muet qui fabriquait des colliers avec des coquillages.

Sa petite-fille, six ou sept ans, était vraiment adorable.

Le collier coûtait deux dollars. Je l'ai trouvée tellement charmante que je lui en ai donné huit de plus.

C'était comme si elle venait de découvrir une pépite d'or dans une écale d'arachide !

Mom m'a expliqué que ces gens-là vivent avec un dollar par jour.

– Fais le calcul du nombre de jours où ils n'auront pas à se demander s'ils vont pouvoir manger avec ce 10 dollars.

Ça donne le tournis d'apprendre que des gens ne savent pas s'ils vont pouvoir manger le lendemain. ☹

Les enfants que j'ai rencontrés, si j'avais pu, je leur aurais donné 10 dollars chacun. Même plus si cela avait été possible.

Mais bon, moi aussi je suis pauvre...

La plus riche de tous les pauvres, en fait. Parce que je mange à ma faim tous les jours, j'ai au-dessus de la tête un toit qui ne coule pas, j'ai des vêtements, des chaussures, de l'amour et j'en passe.

Et quand j'arrive à bien manipuler mes proches (hé, hé, hé), je peux leur soutirer encore un peu d'argent.

Ça fait réfléchir.

Je suis privilégiée. Des fois, quand j'ai l'impression que ma journée est foutue parce que la pile de mon lecteur numérique est morte ou que mes cheveux me font des misères, je devrais penser aux milliards (!) de personnes qui vivent dans des conditions misérables.

J'ai vu des photos d'enfants de trois ou quatre ans qui, chaque jour, vont chercher dans des dépotoirs de quoi manger.

Ça me ratatine le cœur.

Mom m'a dit que je pourrai m'impliquer plus tard dans des organismes conçus pour leur venir en aide.

Ouf, je repense à tous ces enfants dans le besoin et j'ai le goût de pleurer.

(...)

Le 25 décembre au matin, on a fait l'échange de cadeaux.

Mom, qui avait pigé le nom de Fred, lui a offert un des chapeaux affreux qui l'ont fait tant gémir d'allégresse (ce n'était malheureusement pas une hallucination).

Pop a pigé... Pop. Le rigolo. Il s'est acheté un portefeuille en feuille de je-ne-sais-quoi.

J'ai donné le collier de coquillages à Mom. Elle était genre super émue, elle s'est mise à pleurer. Elle m'a serrée dans ses bras pendant de longues minutes. C'était touchant. Avoir su, je lui en aurais acheté un avant !

Et ça été mon tour, enfin.

– Tu m'a promis que ça allait être génial, j'ai dit à Fred.

– Ouais, ouais.

Il m'a tendu un objet cylindre emballé dans du papier de toilette.

– Fred...

– Je te dis que c'est génial.

J'ai déballé le tout.

Je me suis retrouvée devant un pot de nourriture à tortue à moitié vide.

– Euh... De *kessé* ?

– C'est un pot de nourriture à tortue à moitié vide.

– Je sais, je ne suis pas nouille. J'ai dit que je voulais un cadeau « génial », pas « à vomir mes tripes ».

– C'est génial, de la nourriture à tortue. Et je trouve que ça te ressemble.

– Comment ça ?

– Ben, euh, c'est rond, c'est brun et ça sent le poisson.

– Quoooi ? Je sens le poisson ?

– Bah, des fois.

– Hey, c'est tellement pas vrai !

C'est donc le seul cadeau personnel que j'ai eu ce Noël.

C'est sûr que je vais m'en souvenir toute ma vie.

Malheureusement, je l'ai oublié dans la poubelle de la chambre d'hôtel.

Dommage.

Je m'arme d'un casque de moto, d'un plastron, d'un bouclier, je badigeonne avec ardeur mes vêtements d'urine de chevreuil achetée en 1983 (100 % *Genuine Deer's Urine!*) qui repose sur l'étagère du haut dans le garage et que Pop refuse de jeter (« Ça peut toujours servir !) et je m'en vais chez les jumeaux.

(L'urine de chevreuil, c'est une tentative de partir une mode, tout en repoussant les enfants déchaînés, question de joindre l'utile à l'agréable. Effectivement, ça ne sent pas juste le pipi de cervidé ruminant, mais aussi l'échec.)

****

DEVENEZ IRRÉSISTIBLE !

Après de longues minutes de recherche, nos Laboratoires sont fiers d'offrir sur le marché un parfum qui fera de vous l'être le plus désiré de la pièce. Composé d'extraits de sueur, de larmes, de phéromones et de jojoba, l'Enjôleur vous transformera en un véritable aspirateur d'amour. (Attention : peut aussi entraîner l'attraction sexuelle d'autres mammifères indésirables.)

www.unratonlaveuramoureuxcestintense.com

****

Approchez mes
tout-petits...

Publié le 9 janvier à 23 h 45
Humeur : Vidée

> Je dois prendre mon pouls pour être sûre que je suis toujours vivante

OMG.

Les jumeaux Max ont planté des pailles dans ma peau et ont aspiré toute mon énergie.

Ce soir, ils se sont surpassés.

Chaque fois que je crois avoir tout vu, ils font preuve de plus de combativité et, surtout, de créativité.

J'ai 50 dollars de plus dans mes poches, mais cinq ans de moins à vivre.

Avec mes expériences antérieures, mon espérance de vie est passée de 85 à 17 ans.

Ils m'usent, les chenapans.

Et pourtant, c'est plus fort que moi, je les aime.

Je devrais dormir à cette heure, mais mes doigts ne sont pas d'accord, ils me pressent de les laisser danser sur le clavier.

Allez, doigts de fée, c'est *polka time* !

(...)

Parlant d'écrire, Kim ne m'a toujours pas fait de commentaires sur mon manuscrit.

C'est sûrement qu'elle n'a pas aimé et qu'elle ne sait pas comment me le dire.

J'ai peur de le lui demander.

Peur de la forcer à me dire des banalités alors que dans le fond, elle s'est servie des feuilles de mon manuscrit comme litière pour l'espèce de perruche punk qui a trop mangé de frites, comment ça s'appelle, ah oui, un cockatiel.

Bon, elle n'en a pas, mais SI elle en avait un, c'est ce qu'elle aurait fait avec mon manuscrit. Je suis SÛRE.

(...)

J'ai appelé Matou pour qu'il m'accompagne dans cette épreuve, mais le pauvre, il ne se sent pas bien, un genre de début de choléra (ou de rhume).

Docteure Namasté lui a prescrit une bonne quantité de liquide (le moins possible d'huile à moteur), du sommeil et de l'amour.

Faut dire que la dernière fois qu'il est sorti de chez les jumeaux Max, il avait le nez cassé.

Pauvre ti-chou.

Lorsque je suis arrivée, Maximilien et Maxence étaient scotchés à l'écran de télévision, obnubilés par une comédie (pfff!) où des personnages se faisaient couper des membres à la hache et verser du plomb liquide dans la bouche.

– C'est pas un peu violent pour eux? j'ai demandé à leur mère.

Elle m'a fait un clin d'œil.

– Ce film, il n'a rien d'effrayant. Tu devrais voir ce qui se passe tous les jours dans cette maison.

Elle s'est alors mise à courir en direction de la porte, est sortie, a sauté dans son auto et a fait crisser ses pneus tout en hurlant par la vitre baissée: « Yahouuuu! »

Si j'avais été le moindrement sensible, j'aurais interprété ce comportement comme un mauvais présage. :-| Mais bon, il est connu de tous que j'ai autant de sensibilité qu'un iceberg, dont 90 % du volume est situé sous l'eau [hein?].

J'ai essayé d'entrer en contact avec les Max, mais ils étaient totalement hypnotisés par le sang qui giclait et les cris d'horreur.

J'ai passé la main devant leurs yeux, j'ai essayé de communiquer avec eux en leur demandant si le père Noël leur avait apporté de beaux cadeaux et je leur ai planté un pieu en plein cœur alors que je dégustais des gousses d'ail, malgré tout, aucune réaction.

À un moment, j'ai cru deviner, musique à l'appui, qu'une scène d'amour se préparait dans le film. J'ai pris la télécommande et j'ai changé de poste.

La révolte, mes amis.

Que dis-je, la guerre civile, l'insurrection!

Ils m'ont injuriée (« Sorcière! »), ont tenté de me piquer avec leur fourche, ont brûlé des poupées à mon effigie et ont préparé un bûcher à l'aide de morceaux de Lego et du sapin de Noël.

Je n'ai pas cédé.

J'aurais peut-être dû.

(...)

Mes paupières se ferment comme des portes de garage attirées vers le sol.

Je n'en peux plus.

hhhhhhhhhhhhhhhhhhhhhhhhhhhhhhhhhhhhhhhh hhhhhhhhhhhhhhhhhhhhhhhhhhhhhhhhhhhhhhhhhhh hhhhhhhhhhhhhh (C'est l'effet de ma tête sur mon clavier parce que je me suis endormie ; je trouve que la lettre H est la plus confortable, hé, hé... MDR)

Attaquée !

Publié le 10 janvier à 10 h 04
Humeur: Anxieuse

> Avec les jumeaux, c'était un cauchemar ou non?

Aujourd'hui, je dois parler à Kim de mon roman.

Elle sait que ça me tient à cœur, pourquoi elle ne m'en parle pas? Je commence vraiment à penser que c'est tellement mauvais qu'elle ne sait pas comment me le dire.

Je viens de lui envoyer un texto.

Namasté: Tu trouves ça nul, c'est ça?

On verra bien.

(...)

Je me demande si j'ai rêvé à la catastrophe des frères Max ou si c'était vrai.

Les points de suture sur mon visage prouvent que je n'ai pas rêvé.

Après avoir essuyé sur moi les traces de cailloux, de tomates et de boules de Noël qu'ils m'avaient lancés, j'ai essayé de canaliser la colère des jumeaux dans quelque chose de constructif.

– Que diriez-vous de jouer aux cartes? Le paquet voleur, vous connaissez? Personne ne se fait charcuter ou n'est forcé d'avaler du métal liquide, mais ça peut quand même être féroce.

En chœur :

- On veut jouer à des jeux vidéo !

- Non, mes tout-petits. J'aimerais avoir du temps de qualité avec vous.

- On veut décapiter des zombies et boire leur sang vert !

- Non, pas ça. Parlez-moi de vos émotions.

Les deux Max ont joint leur voix afin de me lancer une salve d'insultes.

- Vipère ! Peau de vache ! Ogresse !

- Assez, les lutins. Allez, allez, montrez-moi ce que vous avez eu pour Noël.

Les deux Max m'ont entraînée vers le garage. Ils m'ont demandé d'entrer avant eux.

Pendant quelques instants, j'ai eu peur qu'ils referment la porte et m'emprisonnent. Et qu'ils relâchent sur moi un tigre affamé.

Ou pire, qu'ils me ligotent les mains et les pieds, me fourrent un mouchoir dans la bouche et me forcent à écouter du country.

Rien de tout cela n'est arrivé, malheureusement.

Pourquoi « malheureusement » ? Parce que ça m'aurait empêché de voir la pile (que dis-je ? la montagne !) de cadeaux qu'ils ont reçus.

Après avoir constaté que des familles doivent vivre avec moins d'un dollar par jour, j'ai eu mal au cœur.

Je ne sais pas pour combien d'argent il y en avait, mais c'était indécent.

- Avec lequel on joue? je leur ai demandé, tenant un sac à régurgitations inattendues et parfois en jets à quelques centimètres de ma bouche.

- Aucun, a dit Maximilien. Sont tous nuls.

- Ouais, a renchéri Maxence. Sont nuls.

J'ai tiré du monstre de plastique et de métal devant moi une boîte avec une piste de course dedans. Des petites autos qu'on fait avancer à l'aide d'une commande.

- Regardez, ça, c'est cool. Mon frère en a déjà eu une.

- Ouais, mais faut la monter.

- Je sais. On va le faire ensemble. Ça fait partie du plaisir.

J'ai quand même réussi à les intéresser pendant 10 minutes. Puis ça été le temps de jouer avec.

J'ai donné une télécommande aux deux frères.

- La piste est électrifiée. Plus vous appuyez fort sur la manette, plus les autos vont vite.

Évidemment, le seul intérêt des Max était de faire capoter les autos ou de les propulser sur d'autres autos ou sur une partie de leur corps.

Je les ai laissés seuls quelques minutes, le temps d'aller leur chercher à boire et à manger (ERREUR!).

À mon retour, les deux Max se bidonnaient.

J'ai vite compris pourquoi.

Les deux criaient:

– Meurs ! Meurs ! Meurs !

Ils avaient attaché leur perruche Vomie sur les rails avec des cordons de rideaux (qu'ils avaient coupés aux ciseaux !) et s'amusaient à y diriger leurs autos pour la percuter.

La perruche, pauvre victime de la route plusieurs fois dans la même journée, ne poussait pas un cri.

– Mais qu'est-ce que vous faites là ? Arrêtez !

Je me suis jetée sur le volatile, prête à lui faire le bouche à bouche si nécessaire.

Je l'ai détachée et dès qu'elle s'est sentie libre, la vilaine s'est mise à m'attaquer à coups de bec sur le visage.

Elle visait mes yeux !

Les deux Max ont continué leur litanie, mais en se tenant par la main et en faisant tanguer leur corps de gauche à droite :

– Meurs ! Meurs ! Meurs !

Je me suis défendue du mieux que j'ai pu avec mes connaissances de karaté.

Ahhh ya !

Sauf qu'en voulant l'éloigner, je lui ai donné un coup sur la tête.

Vomie est tombée toute raide sur le tapis.

– *Shiiit* ! j'ai fait.

Il a fallu que j'empêche les jumeaux de se jeter dessus pour la dévorer.

– Elle est morte, m'a dit Maximilien. Tu l'as tuée !

Il fallait vite que je nie la réalité.

– Mais non, mais non. Je l'ai juste, euh, assommée.

– TU L'AS TUÉE ! a crié Maxence. T'ES UNE TUEUSE !

Il s'est précipité vers le téléphone.

Il voulait me dénoncer à la police ou à sa mère.

Je lui ai presque arraché le bras.

– Non, reste ici. Regarde, elle bouge.

Oh, ça oui, elle bougeait : elle était prise de convulsions, ses plumes allaient dans tous les sens. Un peu plus et de la bave lui sortait du bec.

Vu que c'était la première fois que je devais intervenir auprès d'une perruche en danger de mort, je ne savais quoi faire.

L'achever ? Genre appuyer le plus fort possible sur elle avec mon pied ? Ou laisser tomber la télévision dessus ?

Me suis dit que ça pourrait laisser des traces indélébiles. Sur le tapis, mais aussi dans la tête des jumeaux Max.

Ces derniers avaient cessé de chialer et s'amusaient des mouvements incongrus de Vomie.

Quoi faire avec un animal de la famille des psittacidés (je vous jure !) qui, après un coup sur la tête, se met à remuer comme un policier qui fait la circulation ?

Pour une raison qui m'échappe, j'ai eu le réflexe de la prendre dans mes mains afin de lui donner une douche d'eau froide.

J'ai fait couler l'eau du robinet de la cuisine et je l'ai placée dessous quelques secondes.

Puis j'ai pris une éponge que j'ai imbibée de savon à vaisselle et j'ai nettoyé la bête comme si je savais ce que je faisais.

Aucune. Idée. Pourquoi.

- On devrait la mettre dans le lave-vaisselle ! a suggéré Maximilien.

- Ouais, le lave-vaisselle ! s'est écrié Maxence.

- Voyons les enfants, j'ai dit. Avec toute cette humidité, elle va sortir de là avec les ailes frisées.

Bref, ça a fonctionné.

Vomie a repris ses esprits.

Elle et moi n'avons pas eu de discussion sur les avantages et les inconvénients du vernis à ongles orné de brillants, mais c'était tout comme.

Elle était capable de se tenir debout dans ma main.

D'accord, elle titubait un peu, mais c'était tout un exploit vu qu'elle avait eu un pied dans le Royaume des morts quelques minutes auparavant !

Je l'ai remise dans sa cage, sur son perchoir.

Toute raide, elle est tombée dans le fond de sa cage.

Un des jumeaux a hurlé :

- Nooon ! Elle est moooorte !

Peu décontenancée par ces cris, j'ai ouvert la porte grillagée, repris la perruche et l'ai remise sur son perchoir. Pour m'assurer qu'elle ne tombe pas une autre fois, je l'ai penchée un peu pour que sa tête repose sur son miroir.

Elle est restée là toute la soirée, sans bouger.

Je suis allée la voir au moins 90 fois pour m'assurer qu'elle respirait encore.

Après cette péripétie éprouvante, je me serais attendue à ce qu'il ne se passe plus rien parce que je dois respecter ma résolution: ma vie doit être plate, plate, plate.

Les jumeaux ont continué à s'activer sur leur piste de course.

Mais pas comme c'est écrit dans les instructions.

- Ils se sont amusés (!) à se donner des chocs électriques en posant leur langue sur les rayures de la piste;

- Ils ont élevé la piste pour en faire une rampe de lancement. Ils ont utilisé leur auto comme projectile pour essayer d'atteindre l'étoile en haut du sapin de Noël, puis le chat, puis moi et encore une fois la pauvre perruche, laquelle serait encore tombée de son perchoir si je n'étais pas intervenue avant;

- Ils ont détaché trois morceaux de la piste de course et se sont battus avec comme s'il s'agissait d'épées;

- Ils ont pris chacun deux morceaux pour se faire des raquettes, en prenant soin de mettre de la colle blanche PARTOUT sauf sous leurs pieds.

Malgré tout, est-ce que je me suis énervée?

OUI! J'ai pété un plomb quand j'ai constaté les dégâts causés par la colle blanche.

Pour la première fois, je les ai disputés.

J'ai crié.

Fort.

Comme ils ne sont pas habitués, ils ont commencé à pleurer et là, je me suis sentie un peu coupable.

Pas grave.

J'étais vraiment fâchée.

Je l'étais encore plus quand je me suis rendu compte à quel point c'est pénible de nettoyer de la colle blanche.

J'ai alors eu l'idée du siècle: je suis allée les tirer du lit et je les ai obligés à nettoyer leur carnage.

Hé, hé, hé.

Ils se sont couchés tout penauds.

Lorsque leur mère est rentrée, j'étais sur le point de les faire cuire dans une grosse marmite remplie de carottes, de navets et de... ZOUKINI!

(...)

Pas de nouvelles de Kim.

Je vais aller lui parler chez elle.

Publié le 10 janvier à 12 h 03
Humeur: Encore plus anxieuse

> On commence par la mauvaise nouvelle ou la bonne?

La bonne nouvelle.

Kim a ADORÉ mon roman d'horreur.

Elle l'a trouvé captivant du début à la fin.

Et elle ne me dit pas ça parce que c'est ma *best*.

Yé! Ça fait tellement du bien de se faire dire qu'on est bonne.

Maintenant, je dois partir à la recherche d'un éditeur, soit un homme ou une femme d'affaires prêt ou prête à payer des milliers de dollars pour faire corriger, monter, imprimer et promouvoir mon premier roman.

Y a-t-il quelqu'un d'assez fou dans la salle?

Mon rêve serait-il sur le point de se réaliser?

(...)

Je savais qu'il se passait quelque chose avec Kim.

Je l'ai *senti*.

Par texto, pas de problème.

Mais quand j'étais avec elle, que nous étions face à face, elle n'arrivait pas à me regarder dans les yeux.

Comme si elle se sentait honteuse.

J'ai réussi à lui tirer les vers du nez.

Pas sûr que j'aurais dû.

Après m'avoir dit que j'étais la plus grande écrivaine de tous les temps, de toutes les galaxies, de tous les univers (du moins à l'est de la Terre), je lui ai demandé ce qui se passait.

– Tu n'es pas comme avant que je parte en vacances. Qu'est-ce qui se passe ?

– Rien. Pourquoi tu dis ça ?

– Kim, arrête. Je te connais suffisamment pour voir que tu es différente avec moi.

Ma *best* s'est assise sur son lit et a posé ses mains sur sa tête.

– Ah, Nam, je sais pas *comment* t'en parler.

– Me parler de quoi ? Si c'est pour m'annoncer que t'es lesbienne, je m'en doutais déjà un peu.

Tentative d'humour pour alléger l'atmosphère : échec total.

– C'est juste que... C'est juste que ce n'est pas facile à dire. Et je ne peux pas faire semblant.

J'ai gardé ma *coolitude* même si à l'intérieur de moi, quelques-uns de mes organes avaient commencé à s'inquiéter.

– Dis-le-moi, c'est tout. Est-ce que tu as fait quelque chose contre moi ?

– Non, non. Pas du tout. Ça n'a pas rapport avec toi.

– Avec qui, alors ?

– Avec Mathieu.

D'autres organes se sont joints à la Coalition des angoissés dans mon corps.

– O.K., il se passe quoi avec lui ?

– Écoute, je t'aime et je ne veux pas te faire de mal. Et j'apprécie aussi Mathieu. Mais ça me déchire.

Je n'avais jamais vu Kim dans un tel état.

– Qu'est-ce qui te déchire ?

Elle a enfin tourné son visage vers le mien et m'a dit, le menton tremblotant :

– Je ne veux pas que tu m'en veuilles !

Ma tête voulait connaître la vérité, mais mon cœur aurait préféré le contraire.

– Mais non. Allez, *shoote*.

– O.K. Je vais en rester aux faits, d'accord ?

(...)

Je naviguais sur Fesse-de-bouc et je viens de voir quelque chose de super troublant.

Je reviens plus tard.

Publié le 10 janvier à 13 h 26
Humeur: Ultra anxieuse

> Est-ce qu'il me niaise?

Hier, avant de partir pour aller garder les jumeaux, j'ai demandé à Mathieu s'il voulait venir avec moi.

Il ne pouvait pas, il commençait à être malade, genre le rhume.

Je n'invente pas cette histoire, j'ai encore les textos pour le prouver.

Ce matin, qu'est-ce que je trouve en allant sur la page Fesse-de-bouc de Valentine?

Des photos de Mathieu et d'elle prises, selon la légende, hier soir.

Ouatedephoque!

Deux possibilités: ou Valentine ment, ou c'est Mathieu qui ment.

J'espère de tout cœur que c'est Valentine.

J'ai envoyé un texto à Mathieu, mais il ne m'a pas répondu.

Je pense qu'il travaille.

(...)

Rien pour me rassurer, Kim a fini par me dire ce qui la tracassait.

Pendant que j'étais dans le Sud, elle a vu Mathieu et Valentine au cinéma.

– Ça va, j'ai dit. Je sais qu'ils sont amis.

– Ils n'avaient qu'un pop-corn et qu'une boisson gazeuse qu'ils partageaient. Et, genre, Valentine lui mettait des morceaux de pop-corn dans la bouche.

– C'est pas une preuve qu'il se passe quelque chose.

– Je sais, je sais. Ils ne se sont pas *frenchés* devant moi, mais quand même… Pendant le film, Valentine a posé sa tête sur l'épaule de Mathieu. Et à la fin, ils sont sortis de la salle en se tenant la main. Tu sais, ils n'avaient pas l'air amis, ils avaient l'air amoureux. Nath aussi pense ça.

– Et est-ce qu'il t'a vue ?

– Je voulais aller lui parler, lui montrer que je l'avais vu, mais Nath m'en a empêchée.

J'ai regardé le vide pendant quelques instants.

Je ne réfléchissais pas : j'absorbais le choc.

– Je suis désolée, m'a dit Kim. C'est pour ça que j'étais mal à l'aise avec toi. Parce que je ne savais pas si je devais te le dire ou non. Si je ne te le dis pas, je suis comme sa complice. Si je te le dis, je te fais mal. Peu importe ce que je choisis, je suis perdante.

– Tu n'as rien à te reprocher, j'ai dit, à voix basse. Et tu as bien fait de m'en parler. Ce matin, sur la page de Valentine, j'ai vu des photos d'elle avec Mathieu prises hier soir alors qu'il m'a dit qu'il ne pouvait pas sortir parce qu'il ne se sentait pas bien.

– Oh, ma pauvre choupette. Je suis désolée.

Le parcours entre la maison de Kim et la mienne m'a paru durer une éternité alors qu'il n'y a que quelques dizaines de pas à franchir entre sa porte et la mienne.

Je dois penser quoi de ça?

Jusqu'où va leur prétendue amitié?

Et comment je dois réagir?

Dire à Mathieu que Kim l'a vu au cinéma avec Valentine? Il va me répondre: «Et alors?»

Ajouter qu'ils avaient «l'air amoureux»? Ça va ressembler à une autre crise de jalousie.

Mathieu ne peut pas me faire ça.

Il y a une explication.

Il vient de me texter!

(...)

Bon, son explication tient au sujet des photos sur Fesse-de-bouc.

Il m'a écrit que c'était des photos prises il y a quelques jours que Valentine a mises en ligne ce matin.

Pourquoi elle a écrit qu'elles étaient d'hier soir?

Aucune idée.

Pour me faire suer, peut-être.

Mathieu: `Je n'ai pas vu Valentine, hier soir. J'ai dormi.`

Namasté: `D'accord. C'est juste que je trouvais ça` *biz*`, tu comprends? Et ça me tracassait.`

Mathieu: `Ouais. ;)`

Pour le cinéma, je ne lui ai rien dit.

Mathieu ne peut pas me tromper. Ça ne lui ressemble pas.

Je dois lui faire confiance.

C'est ça, l'amour, non? Sans confiance, il n'y a rien.

(...)

Avec tout ça, je n'ai pas travaillé sur les costumes de Léo et de Fred.

Ils sont présentement dans le salon à élaborer une chorégraphie afin de contrecarrer les plans de Coco le Gorille et sa prise de l'Épluchage de banane.

Même s'ils savent déjà qu'ils perdront parce que Coco est un favori de la foule.

D'ailleurs, Fred m'a demandé de venir l'encourager ce soir.

Ça se passe dans le sous-sol d'une église.

Paraît que l'ambiance est complètement démoniaque. Dans une église. Eh ben!

Je sais pas trop si je vais y aller.

On verra.

Mom refuse, tant et aussi longtemps que Fred ne portera pas un casque.

– M'man, c'est de la lutte! Personne n'a jamais porté un casque, surtout pas quand c'est la mère du lutteur qui l'exige.

– C'est dangereux pour les commotions cérébrales. Et ton adversaire devrait aussi porter un casque.

– Mom, c'est un gorille!

Mom ne veut pas voir son fils se faire maltraiter de nouveau.

Je la comprends un peu.

Là, je dois me concentrer sur le costume.

Faut qu'il soit noir, qu'il se déchire facilement et qu'il respire.

Oh, je crois que je viens d'avoir une idée…

Dans la nuit,
sur une plage du Sud...

Publié le 10 janvier à 16 h 26
Humeur: Soulagée

> La pire designer du monde entier

Je viens de créer les deux pires costumes jamais vus.

Fallait que ce soit facile à déchirer, noir et que ça respire.

Ça remplit ces trois conditions, mais rien de plus!

Tintin, en voyant mon œuvre, a dit: «C'est soit la pire chose jamais créée, soit la plus géniale. Je penche pour la première option.»

Le *New York Times* a déclaré: «Namasté nous entraîne dans une zone où personne ne veut aller parce que personne n'en est jamais revenu vivant. Un malaise terrifiant.»

Et finalement Mom s'est exclamée: «Nam, franchement!»

Fred et Léo se disent satisfaits (après les avoir traités d'ingrats, d'ignares «des nouvelles tendances mode» et de «non respectueux de ma fibre artistique»).

Les costumes m'ont pris moins de 15 minutes à confectionner.

Je n'ai même pas eu besoin de les coudre parce que j'avais sous la main du ruban gris à plomberie.

Le matériel? Des sacs à ordures.

Quelques coups de ciseaux et le tour était joué.

Même pas eu besoin de prendre les mensurations des messieurs. Quand c'était trop grand, j'ajoutais du ruban gris pour serrer le tout. Trop petit ? On étire !

J'ai fait des trous dans les sacs, question de fournir une ventilation convenable.

En les voyant arriver dans l'arène, Coco le Gorille va déguerpir, c'est clair. Il va se mettre à genoux pour qu'on le réintègre dans le laboratoire où on exploitait son corps à grands coups de rouge à lèvres. Il sera même prêt à ce qu'on lui injecte une maladie mortelle et souffrante si on lui promet de ne plus jamais être mis en présence des deux zigotos vêtus de sacs-poubelles.

Bien hâte de voir ce que ça va donner dans l'arène.

(...)

Tiens, tiens, tiens ! Valentine a retiré les photos qu'elle avait mises en ligne ce matin.

Oh, un instant...

Que le grand cric me croque !

Je n'ai plus accès à ses albums photos ! Et à ses données personnelles !

Je peux juste voir sa photo de couverture et l'école qu'elle fréquente.

Shiiit !

C'est poche, je ne pourrai plus l'espionner.

Il est clair que Mathieu lui a parlé.

Je me demande ce qu'il lui a dit.

J'ai l'impression qu'elle veut cacher quelque chose...

(...)

Anecdote de voyage # 479.

Qui dit Sud dit troubles intestinaux gênants et explosifs. C'est un cliché.

Eh bien, ce n'est pas arrivé dans notre famille.

On a pris soin de boire de l'eau en bouteille et de ne rien commander avec des glaçons dedans.

Un soir, mon père a fait boire mon frère pour la première fois.

De l'alcool, on s'entend.

Beaucoup d'alcool.

Cela dit, mon père, que je n'ai jamais vu boire de ma vie, a pris au moins six bières par jour. Il n'était pas soûl, pas désagréable. Mais il buvait de l'alcool. Et ça m'inquiétait parce que c'est un alcoolique, comme sa sœur et son père. Mom me l'a avoué.

Ça faisait plus de 18 ans qu'il était sobre. Mais bon, c'est un secret, je ne suis pas supposée être au courant.

Mom aussi, ça la préoccupait.

Mais bon, c'étaient les vacances. Et avec la maladie de Mom, c'était dur à prendre.

Sauf qu'il continuait à boire. Une bière par ci, une bière par là...

Mom a dit que lorsqu'elle lui en parlait, il prétendait que c'était temporaire, juste pour faire sortir la pression.

Que tout était «sous contrôle».

Ça me fait un peu penser à Mathieu, à son besoin de voler. 😨

Si Pop continue à boire, faudra faire quelque chose.

Je reviens à Fred: après deux verres, il était soûl.

Et mon frère en état d'ébriété, c'est drôle.

Il raconte n'importe quoi à n'importe qui (ce qui n'est pas différent de lorsqu'il est à jeun, mais ça, c'est une autre histoire).

Une table plus loin, Mom a aperçu Jimmy et sa mère.

J'aurais voulu lui planter une fourchette dans une main quand j'ai entendu Mom les inviter à se joindre à nous.

C'était *weird* comme situation.

Jimmy et moi, on n'avait rien à se dire, tandis que Fred parlait sans cesse en avalant des verres d'alcool comme s'il s'agissait de verres remplis d'air.

Jimmy, l'air cadavérique, est allé aux toilettes au moins cinq fois en une demi-heure.

Sa mère a cru bon nous informer qu'il avait le « va-vite » et que c'était en feu « là là ». Bref, Jimmy souffrait de *tourista,* aussi appelée la course du touriste.

Pauvre ti-chou.

Parlant de sa mère, la tante de Mathieu, j'ai été surprise de découvrir qu'elle est absolument charmante. Drôle, pleine d'autodérision et généreuse.

Mais elle aime bien montrer qu'elle est riche et superficielle avec ses grosses bagues et ses grosses boucles d'oreilles, et ses grosses lèvres pleines de collagène, ses faux ongles, son visage chirurgicalement étiré vers l'arrière, son front et ses deux sourcils remplis de Botox qui lui donnent l'air éternellement stupéfaite.

Comme si elle venait de trouver un doigt dans sa salade.

C'est elle qui a donné naissance au roi des Réglisses noires.

C'est elle LA responsable.

S'il ne s'excuse pas à Nath comme il m'a dit qu'il le ferait, je pourrai raconter à tout le monde qu'il a peur de l'avion et que, pendant ses vacances, il a passé plus de temps assis sur la cuvette des toilettes que sur la plage. Et que sa mère a un visage de poupée perpétuellement étonnée.

Il est mieux de tenir sa promesse, sinon...

Une fois le soleil couché, on est retournés à nos chambres.

En y mettant le pied, Fred a commencé à se plaindre qu'il avait mal au cœur.

Avec cette nausée, pas question qu'il dorme avec moi !

Finalement, il a dormi dans la baignoire.

La grande classe.

Et Jimmy dans tout ça ? Depuis son départ, les gens de la place racontent la légende du *Dragon en el detrás* «Dragon dans le derrière», en français) qui narre l'épopée d'un touriste qui se frotte l'arrière-train sur la plage avec tant d'ardeur que ce dernier en projette des étincelles...

(Un peu comme Youki, mon p'tit chien d'amour, quand les fesses lui piquent. Grand-Papi dit, en plus poétique, qu'il se « traîne la charrue ».)

C'est pour ces moments courts mais d'une indélébile beauté que la vie est si agréable.

****

BESOIN DE PERDRE DU POIDS RAPIDEMENT?
Laissez tomber les régimes qui vous forcent
à faire de l'exercice et à manger sainement. Vous
n'avez pas de temps à perdre avec ces tortures!
Optez plutôt pour une manière naturelle en vigueur
depuis la nuit des temps: la méthode bactérie!
Par la poste, on vous envoie une culture de
escherichia coli entéro-invasif, il vous suffit
de l'avaler pour que la bactérie se charge de
saccager votre intestin. Vous allez perdre
du poids À VUE D'ŒIL. 100 % naturel!
www.aussi100pourcentcrampesdouloureuses.com

****

Publié le 10 janvier à 21 h 02
Humeur: Hilare

> **Casque ou pas, je me suis bidonnée**

Je reviens du sous-sol de l'église où a eu lieu un combat pour hommes (hum, hum) entre Le Ventriloque et Coco le Gorille.

C'était tellement nul que j'ai A-DO-RÉ.

Et que dire de l'ambiance «démoniaque»? Je pense qu'on était dix dans la salle! Et ça, c'est en comptant le monsieur qui frappait sur la cloche pour annoncer le début et la fin des combats (fait à noter, il était torse nu!) et l'arbitre qui ne cessait de remonter son pantalon trop grand.

J'ai tellement crié que je n'ai plus de voix.

J'ai vraiment eu du plaisir.

Je crois même avoir fait honte à Fred. Pour une fois que ce n'est pas le contraire!

Il y a eu cinq combats. Celui de mon frère était, et de loin, le pire.

Parce que Fred, Léo et Coco le Gorille sont des débutants, ça a donné quelque chose qui ressemble plus à un spectacle de *Casse-Noisette* avec des costumes affolants et une mise en scène signée par un travailleur de la construction.

Pendant tout l'affrontement, Le Ventriloque et Coco le Gorille ne sont pas entrés en collision une seule fois.

Au cinéma, en voyant des types se donner des coups de poing, on se dit parfois : c'est tellement faux, le coup est passé à 30 centimètres de son visage.

Eh bien, Coco et Le Ventriloque, c'était ça, mais au lieu de 30 centimètres, c'était 30 kilomètres.

On aurait dit que Fred, Léo et Coco faisaient une crise d'épilepsie collective. Ou qu'on les contrôlait à distance en les électrocutant.

Faut dire que les costumes que j'ai confectionnés par amour pour Fred et Léo étaient tellement bruyants qu'ils les déconcentraient.

Coco a gagné, évidemment. Parce que, surprise, la lutte, c'est « arrangé ».

Paraît que Coco le Gorille a fait à Fred sa fameuse prise de l'Épluchage de banane. Rien vu de ça, moi.

J'ai tout filmé, question de montrer un jour à mes enfants la raison pour laquelle leur oncle Fred a bien fait de ne pas se reproduire.

Après le match, je suis allée les retrouver dans le vestiaire.

Coco le Gorille était dans une cage, fasciné par le doigt qu'il venait de se mettre dans le nombril.

- Ouain, m'a dit Léo, celui-là, il est un peu trop dans son personnage.

Fred est venu vers moi et m'a dit, sans ouvrir la bouche :

- Brr frim frout broum drim.

Il essayait de me parler en ventriloque.

– Lui aussi est un peu trop dans son personnage, a enchaîné Léo en pointant mon frère. On devrait le mettre en cage avec le primate.

Léo n'avait pas l'air enchanté.

– Qu'est-ce qui se passe ? Pas content de ton match ?

– Un match ? Tu veux rire ! C'est la pire chose qui me soit arrivée dans ma vie. Et mes parents sont morts brûlés vifs dans une automobile alors que je les regardais hurler et se tordre de douleur.

Je suis partie à rire.

Pas Léo.

Oups.

– C'était nul, il a dit. Une honte. J'ai l'impression d'avoir couru nu sur la patinoire de la finale du septième match de la coupe Stanley en prolongation et de m'être enfargé dans la ligne rouge.

– Crouou frim frout grrr drrr ewww.

Je n'ai rien compris de ce que mon frère a baragouiné, mais Léo, si :

– Laisse faire, Fred. Et je veux pas insulter ta sœur, mais avec le costume qu'on portait, j'ai eu peur pendant tout le combat d'être éventré par un raton-laveur. Je vous annonce que je prends ma retraite. Ma carrière se termine maintenant. Il me faudra des années avant de retrouver mon estime personnelle.

Fred, pour sa part, était d'un autre avis.

– C'était génial. Tu as vu comment je l'ai esquivé ?

Mon frère a levé la tête vers Coco qui goûtait à ce qu'il venait de pêcher dans son nombril.

– Tu crois qu'il y avait des recruteurs dans la salle ?

– Des recruteurs de quoi ? De patients pour un établissement psychiatrique ?

– Non ! Des recruteurs des grosses ligues de lutte. Paraît qu'ils se faufilent incognito dans les foules pour dénicher les nouveaux talents.

– En tout cas, c'est pas le gars qui faisait des mots croisés en mâchouillant l'efface au bout de son crayon. Ou le mec derrière moi qui a essayé pendant tout le combat de comprendre le mécanisme de sa chaise pliante.

Fred ne s'est pas laissé démonter.

– Ce sont des as du déguisement, je te dis. Tu as tout filmé, n'est-ce pas ?

– Ouais, malheureusement.

– *Cool*. Je vais tout mettre ça sur le Net. Tu imagines, deux milliards de personnes pourront regarder mes exploits !

– Deux milliards de personnes dont les yeux peuvent exploser dans leur orbite en te voyant lutter, c'est vrai que c'est impressionnant. Sauf que tu n'as plus de marionnette. Léo vient de prendre sa retraite.

– Avec les millions qu'on va nous offrir, il va changer d'idée.

Attention, cliché droit devant : le gorille, afin de manifester son accord, s'est mis à se taper sur la poitrine et à hurler.

J'ai eu beau essayer de péter la bulle de mon frère à grands coups de couteau à steak, je n'ai pas réussi. 🙁

Je me demande si Fred est un éternel optimiste, un naïf ou s'il lui manque tout simplement quelques boulons dans la tête.

(...)

Oh là là, Mom vient tout juste de me dire que la mère des jumeaux veut me parler.

Shiiit... J'espère qu'elle n'a pas retrouvé Vomie raide morte dans sa cage !

Hier soir, je suis partie sans lui en parler.

J'aurais dû, je sais, mais je n'avais pas envie d'expliquer pourquoi je lui ai donné un coup de karaté.

Et comme je les connais, les jumeaux ont probablement raconté des sottises, par exemple que j'ai passé leur perruche sous l'eau froide en la lavant avec du savon à vaisselle.

Ces jumeaux, quelle imagination... 🙁

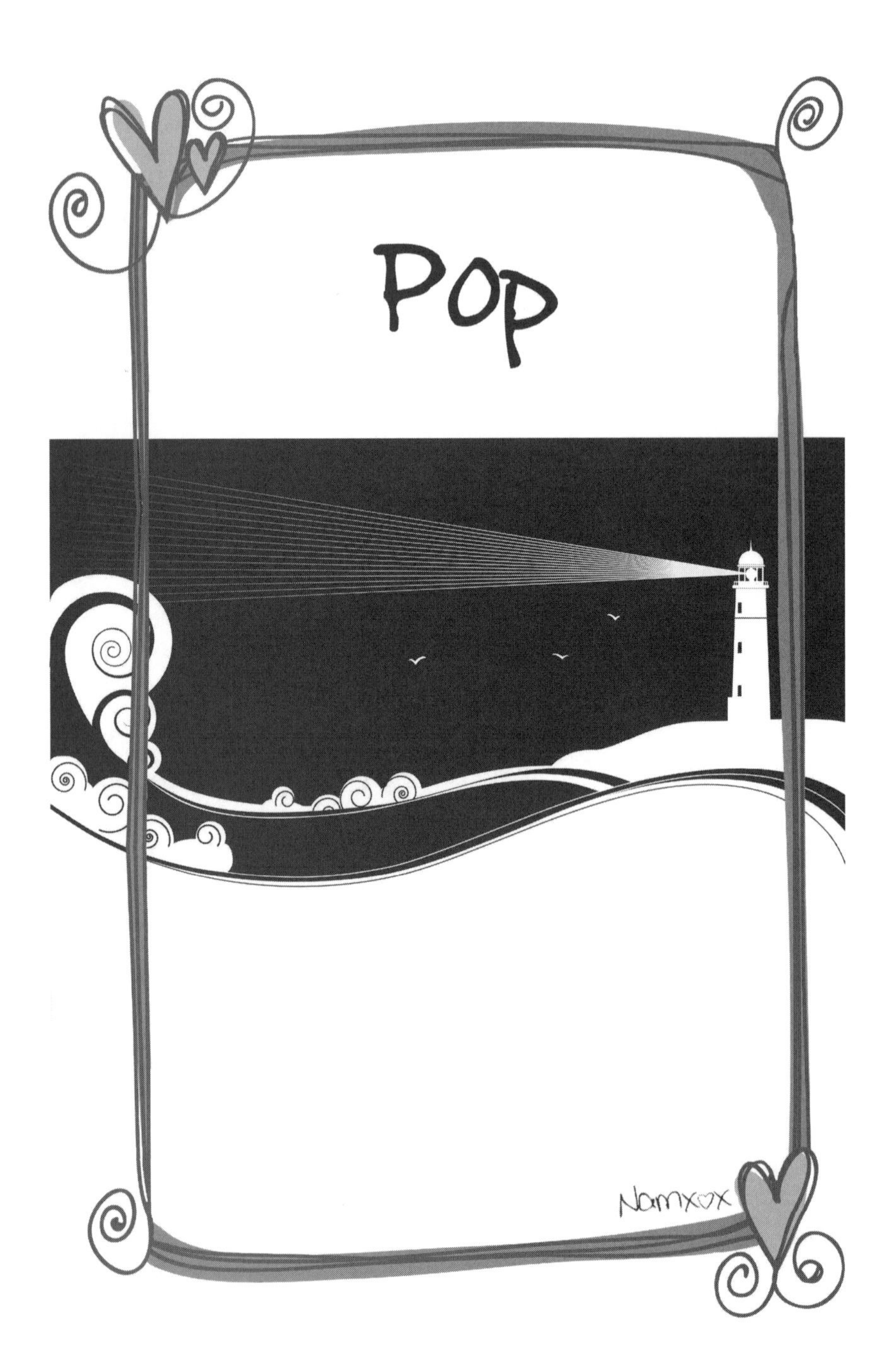
Pop
Namx♡x

Publié le 11 janvier à 9 h 32
Humeur: Tristounette

> Dernière journée de congé

Mom m'a demandé si j'étais assez en forme pour retourner à l'école demain.

Oui, je suis en forme.

Mais je prendrais encore quelques mois de vacances.

On va voir demain, après la journée, si je me sens bien.

J'ai hâte de retourner à l'école, mais je n'ai pas hâte de croiser Valentine.

La vipère, elle doit être tellement contente d'avoir semé la bisbille entre Matou et moi.

Mais l'amour est plus fort que tout, non?

Enfin, c'est ce qu'on raconte...

(...)

Cette nuit, je me suis réveillée pour aller faire pipi et j'ai entendu une conversation entre Mom et Pop.

En fait, je ne suis pas certaine à 100 %, mais je crois que Pop pleurait.

C'était la première fois de ma vie que j'entendais mon père pleurer.

Et ça m'a donné un choc.

Mon père, c'est le plus fort d'entre tous!

Rien ne le dérange, habituellement (sauf si on s'attaque à l'intégrité de son garage, bien entendu).

Aucune situation ne l'affecte. Fred pourrait arriver avec un bâton de dynamite allumé dans chacune des oreilles qu'il ne montrerait aucun signe d'énervement.

Même que c'est arrivé des fois que Mom lui reproche son indifférence.

Il a déjà expliqué à Mom qu'il a été entraîné à ne pas avoir d'émotions. Il voit des choses super dures dans son métier; sa carapace, c'est ce qui l'empêche de craquer.

Il a participé à des missions humanitaires où il n'avait pas le droit d'intervenir même s'il assistait à des horreurs. Des trucs que même l'esprit le plus tordu ne pourrait imaginer.

Il n'a jamais voulu dire quoi.

Il a été au repos forcé un an après être revenu de là-bas.

Il a fait une grosse dépression. C'est après qu'il a cessé de boire de l'alcool.

Mom, comme infirmière, voit elle aussi des scènes difficiles à supporter. Mais elle a un certain pouvoir parce qu'elle vient en aide aux autres.

Et après son travail, il lui arrive souvent de nous parler de ce qui s'est passé. Pas en détail, mais juste assez pour nous donner une vue d'ensemble. Ensuite, elle nous explique comment elle s'est sentie.

Je l'ai souvent vue pleurer.

Pas Pop.

Il ne pleure jamais! Il n'a juste pas le droit! Le savoir vulnérable, ça me fait peur.

Quand j'avais cinq ans, je m'en souviens comme si c'était hier, j'étais dans un magasin avec lui (une quincaillerie, genre) et je l'ai perdu de vue.

J'ai *tellement* paniqué quand je me suis rendu compte qu'il n'était plus à mes côtés. Je me suis mise en petite boule et j'ai commencé à pleurer.

Je me sens comme ça, ce matin.

Pop, c'est un phare dans la nuit. Qu'il pleuve, qu'il neige, qu'il tempête, il est toujours là, solide comme le roc, avec sa lumière pour me rassurer.

Je me demande ce qui se passe.

Peut-être parce qu'il se trouve poche d'avoir recommencé à boire? Peut-être que c'est la maladie de Mom? Peut-être que c'est complètement autre chose?

Je veux savoir et en même temps, je me sens comme une petite fille de cinq ans qui a juste besoin qu'on la retrouve, qu'on la prenne dans ses bras et qu'on la console. ☹

L'atmosphère est lourde à la maison. Je sens quelque chose d'invisible qui rôde, comme un brouillard de mauvaises nouvelles.

Grand-Papi est malade, il a une pneumonie. Je n'ai pas vu sourire Mom et Pop depuis qu'on est revenus. Tintin parle de la fin du monde depuis qu'il a regardé la vidéo du Ventriloque contre Coco le Gorille, même Youki a l'air déprimé.

Il n'y a que Fred qui est joyeux.

Une chance qu'il est là.

(...)

Je viens de parler à la mère des jumeaux.

Plus de peur que de mal, finalement.

Paraît que Vomie la perruche est devenue super gentille. 😃

- Avant, je ne pouvais pas l'approcher, aujourd'hui, elle se laisse caresser et elle mange dans ma main. Je n'ai pas trop compris, mais les garçons m'ont dit qu'il y avait eu un genre d'incident avec elle hier soir?

Je lui ai raconté en détail ce qui s'était passé (en omettant l'épisode du savon à vaisselle). Elle est partie à rire.

- Eh bien, jamais j'aurais cru qu'elle deviendrait un jour sociable. Merci!

Peut-être que Vomie est paralysée de peur. Peut-être qu'elle feint d'être gentille pour m'empêcher de revenir garder les jumeaux?

Et si le coup que je lui ai donné l'avait rendue gaga? Et qu'elle ouvre la porte de sa cage pour aérer les lieux? Qu'elle se regarde dans son miroir en se croyant dans une émission de télé-réalité?

Tant d'insondables mystères!

Trop une
mauvaise idée
Namxox

Publié le 11 janvier à 13 h 54
Humeur: Fâchée

> M'a-t-il menti?

Kim en a marre de me donner des mauvaises nouvelles.

Moi aussi, d'ailleurs. Mais je ne lui en veux pas.

Hier, quand j'ai demandé à Mathieu comment il se faisait que Valentine avait publié des photos d'elle et de lui, alors qu'il était supposément malade, il m'a dit qu'elles avaient été prises depuis longtemps.

J'en ai parlé à Kim et nous avons regardé les photos de Valentine. Kim et Valentine ne sont pas des amies, mais comme Kim est présidente du conseil étudiant, elle est l'amie de tous les élèves (plus de 1 700 amies!). Elle utilise sa page Fesse-de-bouc pour passer des messages qui concernent les élèves.

Donc, les photos. Sur l'une d'elles, on voit Valentine et Mathieu, joue à joue, qui font une grimace (*tellement* original).

Kim m'a fait remarquer qu'en arrière-plan, il y a un téléviseur allumé.

Et que sur l'écran, il y a une image du film *Titanic* (quand Jack dessine Rose).

Or, ce film passait hier soir. Kim l'a regardé.

Soit Mathieu m'a menti, soit c'est un super gros hasard.

Est-ce que je lui en parle? Ou est-ce que je me tais?

Kim pense que je devrais lui en parler. Pour crever l'abcès, une fois pour toutes.

Je ne sais pas. Je vais y penser.

(...)

Autre mauvaise nouvelle: paraît que Valentine va demander à Monsieur Patrick un autre vote pour le poste de rédactrice en chef.

Kim a su qu'elle avait commencé à en parler pendant les vacances avec des élèves qui participent à *L'Écho des élèves desperados*.

Elle veut que le journal prenne une autre direction.

Je n'ai même pas eu le temps de me faire valoir.

Si elle pense que je vais me laisser faire! Je vais me battre!

J'ai été élue démocratiquement. Elle n'a pas une seule raison valable de demander un autre vote.

Oui, j'ai été malade avant la sortie du premier numéro, mais là, je suis en méga forme.

Et j'ai PLEIN d'idées pour le journal.

Tiens, j'y pense, je vais envoyer un message à Monsieur Patrick pour l'informer de ce qui se passe.

(...)

Demain, comment je vais réagir en voyant Valentine?

De son côté, elle fera comme s'il ne s'était rien passé pendant les Fêtes. Comme si tout était au beau fixe.

Moi, en tout cas, je ne ferai pas l'hypocrite. Lui sourire alors qu'en mon for intérieur, je voudrais avoir avec elle une discussion entre quat' z'yeux.

Bof... Même si je lui disais la vérité, elle me traiterait de folle. Elle dirait que j'hallucine.

Et ça ne ferait que plus de bisbille entre Mathieu et moi.

Des fois, je pense qu'on n'a comme pas le choix d'être hypocrite.

Que ce serait invivable si on disait tout ce qu'on pense...

(...)

J'espère que cette image du film *Titanic* imprimée sur une des photos de Valentine laisse présager que cette histoire entre elle et Matou va finir comme ce paquebot... Et que l'iceberg n'est pas pour moi.

****

DEVENEZ POPULAIRE

Pas assez d'amis sur Fesse-de-bouc? Vos connaissances en ont 250 en moyenne alors que vous en avez moins de 20, en comptant votre tante Gisèle et ses 12 enfants? Grâce à notre logiciel, vos demandes d'amis vont exploser! Vous aurez pour amis de purs inconnus, des animaux ou de sympathiques psychopathes en prison pour les 125 prochaines années, mais qui le saura à part vous? À votre tour de faire des jaloux!

www.accepternimportequiparcequonmanquede-confianceensoi.com

****

Publié le 11 janvier à 18 h 59
Humeur: Raide

> Demain, retour sur le champ de bataille

Monsieur Patrick a répondu à mon message.

Il sait que Valentine veut de nouvelles élections. C'est elle qui le lui a demandé.

Cette fille est tellement effrontée!

Il lui a répondu que je suis la rédactrice en chef de *L'ÉDÉD* jusqu'à la fin de l'année scolaire. On verra l'année prochaine.

Donc il me soutient.

Ça me soulage.

(...)

Je prépare mes trucs pour demain.

J'ai hâte de revoir mes amies.

J'aime l'école, même si j'ai parfois l'impression que c'est une jungle. Avec des animaux très mignons comme des singes, des oiseaux et des coccinelles qui jouent de la flûte traversière, mais avec aussi des prédateurs, des panthères, des anacondas et des caméléons à la langue collante qui avalent les coccinelles et leur flûte traversière.

Je me demande dans quel groupe je suis.

Je me demande aussi dans quel clan il vaut mieux être.

Je pense être gentille et honnête. Mais parfois, il faut se transformer en prédateur pour se défendre.

Si on me mord, je mords!

Je suis tendue à l'idée de revoir Valentine, même si Monsieur Patrick m'appuie.

Je la sens menaçante. Ça me *gosse* de savoir que quelqu'un ne m'aime pas.

Au moindre faux pas, elle va en profiter pour m'attaquer.

Ouf! Je lui donne tellement *trop* d'importance!

J'ai juste à l'ignorer, point.

Je dois me souvenir qu'elle me tend un hameçon. C'est à moi de ne pas agir en poisson.

(...)

À la demande générale, voici mes dernières anecdotes de vacances.

En vrac:

- J'ai passé le plus clair de mon temps à me faire dorer sur une plage – «Mais oui, Mom, j'ai mis de la crème solaire, sinon il y a longtemps que j'aurais mué comme un serpent».
- J'ai passé 16 heures par jour en bikini – sauf la nuit parce qu'il fallait que je dorme avec mon frère Fred dans un lit double, beurk, j'avais tellement peur que sa peau entre en contact avec la mienne que, chaque soir, j'ai recouvert mon corps de papier hygiénique, j'ai aspergé mon frère de liquide antiseptique, puis j'ai enfilé une robe de chambre.
- J'ai parlé des hommes qui ont fait le délice de mes yeux, n'est-ce pas? Plus c'était mou, plus ça pendouillait et plus

ça pendouillait, plus ils avaient une grosse moustache et un petit maillot de bain, c'était mathématique.

Nous sommes allés au zoo où j'ai pu toucher à un bébé hippopotame ! Tellement *cuuute* ! Surtout ses narines qui se refermaient quand je le cajolais. Je voulais le rapporter à la maison, mais il aurait fallu que je le coupe en quatre ou cinq pour le faire entrer dans nos bagages. J'ai aussi appris que l'hippopotame, même s'il a l'air sympa, est agressif. Les crocodiles en ont peur. C'est un des animaux qui causent le plus de morts d'homme en Afrique, il peux exercer jusqu'à une tonne de pression avec sa gueule, de sorte que lorsqu'il mord dans un melon d'eau, on retrouve des pépins sur la Lune (ça reste encore à prouver). Ses canines ont plus de 60 centimètres. Pourquoi ne pas domestiquer les hippopotames ? Ça ferait d'excellents gardiens pour les maisons, non ? Après avoir vendu des millions de romans, mon prochain défi sera d'apprivoiser l'hippopotame.

En passant, j'ai appris que si un crocodile m'attaque, le meilleur moyen de m'en sortir est de lui enfoncer les doigts dans les yeux. J'ai hâte d'essayer !

Je nage comme une truite.

C'est pas mal tout.

Je vais lire.

Publié le 12 janvier à 0 h 45
Humeur: Dévastée

> C'est la fin

Je suis affligée.

Je ne me suis jamais sentie aussi mal de toute ma vie.

Mon cœur vient d'être passé dans un broyeur.

Je savais qu'il se tramait quelque chose.

Je l'avais senti.

Je sais maintenant pourquoi Pop pleurait la nuit dernière.

Avant de m'endormir, Mom est venue me rejoindre dans ma chambre.

Elle m'a dit qu'elle avait pris une «grosse décision» et qu'elle voulait m'en parler.

- Quel genre de décision?

Je m'attendais à quelque chose de banal. Des rénovations. Vendre son automobile. Se faire couper les cheveux courts.

J'étais loin de me douter…

De sa voix douce, elle m'a dit:

- J'arrête tout.

- Tu arrêtes quoi?

- Les traitements.

- Tes traitements?...

– Oui. J'ai passé des tests avant les vacances et j'ai eu les résultats vendredi dernier. J'ai un cancer généralisé.

J'ai éclaté en sanglots. Elle m'a prise dans ses bras, a passé sa main sous mon pyjama et m'a frotté le dos, comme elle le fait quand je suis malade.

Je me suis calmée, puis je lui ai dit :

– Tu dois te battre. Tu ne peux pas le laisser gagner.

– Namasté, ma chérie, les métastases se sont répandues dans tout mon corps. Mon foie, mes poumons et un de mes reins sont atteints.

Les larmes coulaient sur mon visage sans s'arrêter.

– Tu vas mourir ?

– Oui.

– Dans combien de temps ?

– Je ne sais pas. Dans quelques mois, je pense.

– Non, non. Je ne veux pas ! Tu dois continuer tes traitements. Tu vas pouvoir passer au travers. Tu n'as pas le droit d'abandonner.

Mom a fait non de la tête.

– Ce n'est pas possible, Namasté. C'est de l'acharnement thérapeutique. Je sais ce dont je parle, je me suis occupée de cancéreux. Les effets secondaires des traitements sont trop pénibles. Qu'est-ce qu'ils vont me donner ? Six mois de plus à vivre ? Un an ?

– C'est un an de plus quand même ! Faut continuer, faut pas baisser les bras.

– Je veux vivre les derniers mois de ma vie avec le moins de souffrances à endurer.

– Tu penses juste à toi ! Et nous, qu'est-ce qu'on va devenir sans toi ? Qu'est-ce que je vais devenir ? J'ai encore besoin de toi, moi !

J'étais vraiment en colère contre elle.

Je trouvais ça lâche de sa part de nous abandonner, elle qui m'a toujours dit que sans persévérance, on n'arrive à rien.

– Namasté, ma chérie. La vie va continuer. Mais sans moi. Tu vas vieillir et toi aussi tu auras des enfants. Tu comprendras alors ce que c'est. Mais en ce moment, tu as le droit d'être en colère.

– Tu ne comprends pas. Je ne veux pas te perdre.

– Je comprends. J'ai vécu la même chose que toi avec ma mère, ta grand-mère. Entre-temps, on va s'amuser, d'accord ? Parce que tu es la fille la plus formidable du monde. Je suis fière de toi et je t'aime tellement. Je suis désolée de te faire vivre ça.

Cette fois, elle aussi s'est mise à pleurer.

J'ai posé ma tête sur ses genoux et elle m'a caressé les cheveux.

Puis elle m'a souhaité bonne nuit.

Je n'arrive pas à fermer l'œil.

Je ne réalise pas pleinement ce qui se passe.

J'ai mal, mais je ne peux rien faire pour me soulager.

Et je n'arrête pas d'imaginer Mom dans son cercueil. C'est obsédant.

J'ai écrit à Mathieu, il n'a pas répondu.

Kim, si. Elle est super désolée. Mais qu'est-ce qu'elle peut me dire de plus?

MA MÈRE VA MOURIR.

Je sais qu'on va tous y passer un jour, mais elle n'a que 46 ans.

Je vais essayer de dormir.

Publié le 12 janvier à 12 h 02
Humeur: Morose

> Il y a encore de l'espoir

Ce matin, Mom m'a dit que si je voulais rester à la maison, elle me le permettrait.

J'ai pourtant décidé d'aller à l'école.

Changer un peu d'air après une nuit de pensées morbides me fera du bien.

J'ai tout raconté à Mathieu. Il ne sait pas quoi me dire, à part qu'il est là pour moi.

C'est gentil.

Mais ça n'enlève pas la douleur que je ressens.

Comme si les globules rouges dans mon sang n'étaient pas ronds, mais pointus et qu'ils étaient en train d'égratigner mes veines.

En même temps, je me trouve poche de réagir comme je le fais. Tsé, c'est pas moi qui vais mourir, c'est ma mère. C'est elle qui doit endurer les douleurs. C'est elle qui devrait se plaindre, pas moi.

Elle m'a dit ce matin que le médecin lui avait prescrit des médicaments assez puissants contre la douleur, mais qu'elle ne les prenait pas encore parce que le tout était supportable.

Dommage que je ne puisse pas gober quelques-uns de ses médicaments.

Ce dont j'ai surtout peur, c'est qu'on se réveille un matin et qu'on la retrouve morte.

Je *freakerais* tellement.

Et Valentine ? Pas vue. Mettons qu'avec la nouvelle que j'ai eue hier soir, il y a des choses pas mal plus graves.

Reste que je viens de faire une recherche sur le Net et des cas de guérisons spontanées et inexplicables de cancers généralisés, ça existe.

Pas un ou deux, des dizaines !

Et il y a les médecines alternatives. J'ai lu des témoignages de gens miraculés.

Et la pensée positive. Genre, on croit tellement qu'on va guérir que le corps trouve les ressources nécessaires pour vaincre le cancer.

Est-ce que Mom est au courant de ça ? Je vais lui en parler ce soir.

(...)

J'ai croisé Monsieur Patrick.

Faut s'activer sur le VRAI numéro 1 de *L'Écho des élèves desperados*.

L'autre, celui de Valentine infesté de chatons mignons, on va écrire que c'était un canular. Hé, hé...

Il y a quand même eu plus de 600 téléchargements.

Faut que je fasse mieux qu'elle. Lui montrer de quel bois je me chauffe !

(...)

Fred est au courant pour Mom.

Il n'a pas eu de réaction.

J'ai essayé de lui en parler ce matin, mais il ne veut pas.

C'est comme tabou.

Comme Mom m'a déjà dit, on a tous une manière différente de gérer nos émotions.

C'est récent, comme nouvelle. Je m'essaierai plus tard.

(...)

Avec le choc que j'ai eu hier soir, tout me paraît banal.

Une fille dans ma classe a eu un accident de planche à neige le 26 décembre. Elle l'avait reçue en cadeau à Noël. Après une heure ou deux à l'essayer (et à tomber), elle a décidé de l'expérimenter sur une piste.

Sauf qu'elle a choisi une piste de pros, avec des bosses et recouverte de glace.

Elle a foncé dans un arbre. Résultat : un poignet cassé, des points de suture sur la tête et sa planche à neige en miettes.

À un autre moment, je me serais apitoyée sur son sort.

Je lui aurais proposé de l'aider à transporter son sac ou à le recoudre.

Pas aujourd'hui. Je trouve ça poche ce qui s'est passé, mais tsé, la piste s'appelait La Mortelle, me semble que c'était assez facile de deviner qu'elle allait se péter la *yeule* en mille morceaux? 🙁

Une autre fille a perdu un proche de sa famille. Son arrière-grand-père mort à... 104 ans. Cinquante-huit ans de plus que Mom, j'ai fait le calcul.

À un autre moment, je l'aurais prise dans mes bras et je l'aurais bercée en lui donnant un biberon de lait chaud.

Pas aujourd'hui. Son arrière-grand-père avait 104 ans et, dans les fêtes de famille, il gardait toujours la bouche et les yeux ouverts, et on prenait son pouls aux demi-heures pour s'assurer qu'il n'était pas mort. Le monsieur a commencé à se plaindre que Dieu l'avait oublié à 90 ans ! C'est son *chum* de billard qui a découvert l'Amérique, tsé.

Et une autre fille (il n'y a que les filles qui se plaignent ! C'est vrai, les gars sont trop occupés à se remonter les culottes jusqu'à la nuque.) qui se désole parce qu'elle a échappé son super lecteur numérique tout neuf à 300 $ dans sa baignoire et que maintenant tous les chanteurs qu'elle écoute ont la voix des Chipmunks et les chanteuses, celle d'un animateur de radio qui a sûrement des poils dans les mains, deux pommes d'Adam et trois testicules pour avoir une voix si grave. Hey, Chose, MA MÈRE SE MEURT ET Y'A DES ENFANTS QUI SE NOURRISSENT DANS DES DÉPOTOIRS, JE ME TAPE DE TES CAPRICES DE PRINCESSE.

C'est sûr que si je dis aux filles que Mom a un cancer généralisé, elles croiront que je veux remporter le concours de la nouvelle la plus déprimante du temps des Fêtes.

La cloche vient de sonner.

Elle n'a pas
le droit

Publié le 12 janvier à 16 h 52
Humeur : Vexée

> Elle ne veut rien savoir

Je suis fâchée contre Mom.

En arrivant, j'étais toute heureuse de lui parler des découvertes que j'avais faites sur le Net au sujet du cancer et des autres manières de le guérir outre la médecine traditionnelle.

J'avais même imprimé des pages.

Après m'avoir écoutée, elle m'a dit :

- J'apprécie ce que tu fais pour moi.

Elle n'avait pas l'air du tout emballée.

- Mom, tu ne te rends pas compte ? Tu peux guérir !

- Namasté, ma chérie. Je suis envahie de métastases.

- Et alors ?

Je lui ai tendu une des feuilles.

- Regarde cette femme. Elle avait un cancer généralisé comme toi, on lui donnait une semaine à vivre. Ça fait plus de dix ans et elle est encore vivante !

Mom a parcouru le texte.

- C'est une nouvelle commanditée par un produit naturel.

- Et alors ? Si ça fonctionne ?

Elle a posé délicatement la feuille sur la table.

- Cette femme n'existe probablement pas.

- Pourquoi tu dis ça ?

- C'est mon impression, c'est de la publicité trompeuse. Les gens sont prêts à tout pour rester en vie. J'ai vu des personnes dépenser des fortunes en produits de toutes sortes ou en traitements. Ça n'a jamais rien donné. Ce sont des arnaques.

J'ai serré les dents.

- Est-ce que tu veux guérir, oui ou non ? On dirait que tu acceptes de mourir.

- Oui, tu as raison, je l'accepte. Moi aussi, j'ai eu ma phase de colère. C'est normal. J'ai consulté trois spécialistes du cancer, les meilleurs du pays. Ils sont unanimes.

- Ce sont des humains. Ils peuvent se tromper.

- Il y a des faits indéniables. Je ne veux pas que tu entretiennes de faux espoirs, ce serait cruel de ma part.

- Ce qui est cruel, c'est que tu as abandonné.

Je me suis levée et j'ai couru vers ma chambre.

J'ai claqué la porte. Je pense que c'est la première fois que ça m'arrive. (D'accord, c'est au moins la 284e fois.)

Je n'accepte juste pas qu'elle ait baissé les bras.

Il y a des solutions et elle refuse de les envisager.

Ça me met hors de moi.

Pourtant, à moins de souffrir de dépression, personne ne veut mourir.

Je ne comprends pas Mom. Et visiblement, elle non plus ne me comprend pas !

(...)

Kim m'a dit qu'elle a entendu des rumeurs, que Valentine et Mathieu, ce serait «sérieux».

- Sérieux comment?

- Sérieux comme s'il s'était passé quelque chose entre eux.

- Quelque chose comme quoi?

- Quelque chose de sérieux.

On tournait en rond!

- Oui. Mais comme quoi? Ça peut vouloir dire plein d'affaires.

- Je ne sais pas exactement de quoi il s'agit. C'est Valentine qui raconte ça. Je vais essayer d'en savoir plus.

- Elle peut raconter ce qu'elle veut, je suis toujours la blonde de Mathieu. C'est peut-être une autre de ses tactiques pour me rendre folle.

Kim a fait une pause, puis:

- Je ne sais pas, Nam. J'y ai repensé et... Je ne sais pas trop comment te le dire, mais je crois qu'il se passe quelque chose entre ton chum et Valentine.

Je lui ai tiré la langue.

- Quelque chose de sérieux, j'imagine?

- Je ne blague pas. J'ai jeté un œil sur les photos encore une fois. Et les commentaires sur le mur de Valentine. Ce sont plus que des amis, je pense.

- Merci de m'encourager. Avec ce qui se passe avec ma mère, je n'ai vraiment pas besoin de ça.

– Je sais, Nam. Je ne dis pas ça pour te faire mal. Même si je sais que c'est ce que ça te fait. Peut-être que tu portes des lunettes roses. Tu as parlé à Mathieu de cette photo avec le film *Titanic* à la télé ?

– Non.

– Tu devrais. S'il t'a menti...

– Je sais, je sais. Tu n'as pas de meilleures nouvelles à m'annoncer ? Je sais pas, les taux hypothécaires ont baissé d'un quart de point, non ?

– Je n'ai aucune idée de ce que tu me dis.

– Moi non plus, j'ai entendu ça tantôt à la radio.

Je sais que je devrais parler à Mathieu de la photo. Je n'ai juste pas le goût de me chicaner avec lui.

Et j'ai peur qu'il m'ait menti.

Ça me ferait vraiment suer qu'il se soit inventé une maladie pour éviter d'être avec moi.

J'ai l'impression de vivre dans une des chansons des années 90 de mon lecteur numérique :

« Ça va bien

Même quand il pleut

Le soleil me tend la main

Ça va bien

Ça va si bien

Comme la vie me donne faim

Ça va bien »

Tsé, quand une chanson représente *vraiment* ce qu'on vit.

****

LA VIE DE STAR, ÇA VOUS TENTE?

Les millions qui coulent à flots, votre visage à la une des journaux à potins et les spectacles à grand déploiement vous allument? Devenez une étoile de la chanson! Avec notre méthode en trois points, vous deviendrez assurément l'artiste dont les chansons seront les plus piratées sur le Net! Sans compter la multitude de photos compromettantes qui circuleront telle une gastroentérite dans une garderie et qui vous plongeront dans l'embarras!

****

« Je ne vais pas sur une tête »,
dit Monsieur le hérisson
Namxox

Publié le 12 janvier à 20 h 58
Humeur: Impatiente

> Le complot des profs

Au retour des vacances, dans leur salle commune, mes profs se sont réunis autour de la machine à café. Après avoir comparé leur tour de taille et le nombre de kilos qu'ils ont pris, ils se sont tous mis à parler de moi, de la façon dont ma vie se déroule ces temps-ci. Et l'un d'eux - un prof qui m'en veut secrètement parce que je suis belle, gentille et intelligente - les a convaincus de me faire la leçon, de me convaincre que lorsque tout va mal, il ne faut pas se plaindre parce que tout peut toujours aller plus mal.

J'ai *full* devoirs. Ça fait une heure et demie que j'en fais et je ne suis même pas rendue à la moitié.

Je prends une pause de 15 minutes avant de replonger.

J'ai beau être géniale, je ne suis pas une machine.

(...)

J'ai commencé à «magasiner» les maisons d'édition pour *Les têtes réduites*.

C'est excitant!

Mais en éliminant toutes les maisons d'édition qui ne publient pas de romans d'horreur, il ne m'en reste pas tellement.

Ça ne me servirait à rien d'envoyer mon roman à des éditeurs qui publient des livres religieux. Ou des manuels scolaires. Ou de livres de recettes. Ou des guides de voyage. Ou des ouvrages de poésie. Ou des livres sur les animaux. Ou des livres pratiques. Ou des ampoules où il est mentionné sur leur emballage qu'elles dureront 2000 heures, mais qui vous pètent dans la face après dix minutes.

J'ai ciblé quatre maisons d'édition. Quatre éditeurs qui vont avoir le privilège (que dis-je, la chance UNIQUE!) de trouver mon manuscrit dans leur courrier. Et qui fondront de plaisir à sa lecture. (Bon, bon, bon, j'arrête, mon ego ne passe plus dans la porte.)

Faut que je le relise encore une fois.

Je veux m'assurer qu'il n'y a plus une seule faute.

J'ai appris qu'il y a des éditeurs qui rejettent les manuscrits dès qu'ils en aperçoivent une. ☹

Comme si je participais à un concours de beauté, que ma robe était superbe, mon maquillage parfait, ma démarche celle d'une déesse, mais que j'avais un porc-épic mort depuis trois jours sur la tête.

Ça ruine tout, le porc-épic mort. Depuis un jour, ça pourrait aller, mais trois jours, non, ça ne passe pas.

C'est sûr que mon roman ne sera pas sur les tablettes des librairies pour la fêtes des Mères au mois de mai.

Mais si j'ai signé un contrat, ce sera acceptable. Mom sera fière de moi. On sait que seulement un manuscrit sur 100 est publié. Pourquoi ce ne serait pas le mien?

Hein, pourquoi pas?

Hein? Hein? Hein?

Oyez, oyez,
Namasté souffre !
Namxox

Publié le 13 janvier à 16 h 59
Humeur: Tracassée

> Je sens que je vais m'énerver

D'après ce que Kim a appris entre les branches (elle se promène à l'école cachée derrière un sapin afin de passer inaperçue), le 26 décembre, jour du *Boxing Day*, Valentine et Mathieu auraient volé des trucs dans un grand magasin.

Mathieu m'avait PROMIS d'arrêter. Il m'a même dit qu'il n'avait rien volé durant mon absence.

Valentine raconte que c'est l'un de ses plus grands *trips* et qu'elle serait prête à recommencer n'importe quand.

Ça me tue. Parce que Mathieu doit la trouver plus *cool* que moi juste parce qu'elle ne voit pas de problème à se procurer des objets sans les avoir payés.

Paraît qu'ils ont réussi à s'emparer de plusieurs articles, ils auraient même volé un sapin de Noël en plastique en démonstration (!).

Est-ce que Valentine réalise qu'il s'agit de VOL? Ce n'est pas banal. C'est un délit, un CRIME.

Est-ce qu'elle aime vraiment ça ou si ce n'est que pour le faire croire à Mathieu?

Ça me dépasse.

C'est sûr que dès que j'aurai une minute, j'en parlerai à Mathieu, peu importe que ça fasse de la chicane ou pas.

J'ai demandé à Kim d'arrêter de me donner des nouvelles.

Puis une minute plus tard, j'ai changé d'idée, je lui ai demandé de continuer, même si ça me fait mal.

(...)

C'est peut-être juste à cause des circonstances, mais je trouve que Mathieu est devenu plus distant avec moi à l'école.

Je lui en ai parlé et il me dit que ce ne sont que des impressions.

Je n'ai pas encore croisé Valentine, mais Mathieu m'en parle et ça me fait bouillir.

On a eu un autre accrochage aujourd'hui :

- Tu ne te rends pas compte que ça me dérange que tu me parles d'elle ?

- Euh, non. Pourquoi ça te dérangerait ? Tu me parles bien de tes amies, toi.

- Oui, mais je ne passe pas mon temps à te répéter qu'elles sont formidablement drôles et toujours de bonne humeur.

- Tu ne l'aimes pas, n'est-ce pas ?

- Après le désastre de *L'ÉDÉD*, effectivement, je l'aime beaucoup moins.

- Décroche un peu. C'est juste un journal.

- Attends. Ne me dis pas que tu vas prendre sa défense ?

– Elle peut se défendre toute seule. C'est juste que tu ramènes toujours cette histoire de journal. Faudrait que tu passes à autre chose.

– Je lui faisais confiance. Elle m'a trahie.

– Elle ne voulait pas mal faire, elle te l'a dit. C'était une expérience.

– Tu la défends!

– C'est mon amie. Tu ferais la même chose si j'attaquais Kim, genre.

Comme pour clore le combat, la cloche a sonné.

Et on ne s'est pas revus depuis.

Et je ne lui ai pas envoyé de texto.

J'agis donc comme une fille mature: je boude.

(...)

Aussi incroyable que cela puisse paraître, j'ai eu une discussion sensée avec un gars de ma classe aujourd'hui.

Il s'appelle Justin. Un gars qui passe inaperçu au sens où il ne parle pas pour ne rien dire.

En fait, il ne parle jamais. C'est de la timidité, je crois.

Bien sûr, il rit des blagues stupides des autres gars (moi aussi, des fois), mais il n'est jamais l'instigateur.

Il a de bonnes notes et il est bon dans les sports. Mais il est tout petit.

Pendant un travail d'équipe où, comme d'habitude, on fait tout sauf travailler, y compris concasser des grains pour fabriquer notre propre bière, je parlais à Kim que j'étais fâchée contre Mom, à cause de sa décision. Puis Justin est intervenu.

- Toi, au moins, tu es chanceuse. Tu peux encore passer du temps avec.

Après l'étape de l'ébahissement - Justin parle ! - je lui ai demandé :

- Pourquoi tu dis ça ?

- Mon père est mort subitement. J'aurais aimé avoir passé du temps avec lui.

- Comment il est mort ?

Kim m'a donné un coup de coude.

- Voyons, ça ne se demande pas !

- Ben oui! La preuve est que je viens de le faire !

- Un accident d'auto, a répondu Justin.

- Je suis désolée, je lui ai dit. T'avais quel âge quand c'est arrivé ?

- Treize ans. Ç'a été mon cadeau de Noël l'année dernière.

Kim et moi, on s'est regardées, interloquées.

Justin n'affichait aucune émotion. Comme s'il venait de nous annoncer, tout bonnement, qu'il venait de casser la mine de son crayon.

Kim a rompu le silence.

- Tu niaises ?

- Non.

- *Shiiite*, j'ai fait. C'est intense.

– Ouais. Donc, dans ta malchance, tu es chanceuse. Tu peux être avec ta mère, lui parler, l'écouter. Vous allez pouvoir vous dire adieu.

C'était une situation super inconfortable. Je ne savais pas si je devais pleurer, prendre Justin dans mes bras ou juste réaliser que ce qu'il venait de me dire était d'une frappante vérité : Mom est encore bien vivante.

– Et comment tu te sens ? j'ai fini par lui demander.

– Bizarre. C'est comme si ce n'était pas arrivé, même après un an. Comme s'il était parti en voyage d'affaires.

– Je suis vraiment désolée. C'est poche.

Justin est retourné à son travail, c'est-à-dire qu'il semblait s'efforcer de comprendre comment fonctionne le mécanisme de la fermeture éclair de son étui à crayons.

Je l'ai regardé du coin de l'œil, afin de vérifier si une émotion quelconque transparaissait dans son visage, mais pas du tout : il était maintenant concentré sur la mine qui semblait incapable d'apparaître au bout de son crayon mécanique.

Si j'avais été à sa place, j'aurais été anéantie.

Perdre quelqu'un qu'on aime de manière aussi inattendue, c'est dramatique. ☹

Et injuste.

Mais bon, personne n'a décrété que la vie devait être juste.

Les réactions aux chocs sont tellement différentes d'une personne à l'autre.

Si mon père était mort dans un accident de la circulation, tout le monde l'aurait su. Je n'aurais pas pu garder ça pour moi, je pense que j'aurais même engagé un crieur public.

Justin, lui, a souffert et souffre encore en silence.

J'ai passé le reste de la journée à penser à ce qu'il m'avait dit.

Quand je suis revenue à la maison, Mom dormait.

Je suis allée l'embrasser et je lui ai dit que je m'excusais de mon comportement.

On s'est serré fort et on s'est dit qu'on s'aimait.

Alors voilà : je respecte la décision de Mom, même si ça me fait mal.

Si elle pense que le mieux pour elle, c'est de laisser tomber les traitements, je dois apprendre à vivre avec.

C'est une infirmière, après tout. Et elle a passé plusieurs années à soigner des cancéreux. Elle est très bien placée pour en connaître les conséquences.

Mom n'a pas à subir mes sautes d'humeur. Je dois l'épargner.

Si j'ai du mal avec ce qui se passe, je vais me venger sur mon frère. Ou je vais aller consulter une psychologue, comme je l'ai fait quand Zac est mort.

Zac... Je pense beaucoup à toi ces temps-ci.

Me semble que tout était moins compliqué avec toi.

On se complétait tellement bien.

* SOUPIR *

Publié le 13 janvier à 20 h 09
Humeur: Joyeuse

> HAÏME!

Hey! Dans trois dodos, c'est mon anniversaire! Youhou!

Mom m'a demandé ce que je voulais. J'ai répondu, sans hésiter: des oreilles décollées. Il s'agit d'une chirurgie esthétique qui ne coûte pas cher et qui offre un impact immédiat. J'ai hâte de voir si elle va me l'offrir!

(...)

Après souper, je suis allée faire une marche avec Youki.

Quand on est réunis en famille, même si on est tous de bonne humeur, c'est lourd. Ce soir, Grand-Papi n'a pas fini son plat. Il s'est excusé et a quitté la table en reniflant.

Ça lui rappelle ce qu'il a vécu avec ma grand-mère. Et perdre son enfant, ce n'est pas naturel. Les enfants sont supposés survivre à leurs parents.

Heureusement qu'il y avait Tintin et ses délires. Et Fred avec ses élucubrations - qui ressemblent de plus en plus à une maladie chronique.

Je vais y revenir.

Alors que Youki me tenait en laisse tandis que je reniflais tout ce que je croisais, y compris des substances parfaitement dégoûtantes qui font pleurer juste à les regarder, une forme est apparue sous un lampadaire, à quelques mètres de nous.

Une forme familière : Haïme, mon renardeau ! ☺

J'ai commencé à japper comme une perdue alors que Youki tirait sur ma laisse pour que je me taise en faisant des « tais-toi, grosse sardine ».

Youki a attaché la laisse à une borne-fontaine. Je me suis tout de suite mise à renifler les milliers d'odeurs laissées par les milliers de chiens ayant inscrit leur signature avec des commentaires du style « séjour agréable, c'est sûr que j'y reviendrai ! » et « je recommanderai à mes amis et parents cet objet rouge si accueillant ».

Youki s'est approché très lentement du renard, dépassé par une tortue et une limace dynamiques qui passaient par là, en mode marche rapide, les deux arborant un bandeau bleu-blanc-rouge autour de la tête.

Alors que Youki était sur le point de poser la patte sur la tête du renard, j'ai commencé à japper comme une grosse nouille parce que l'arbre au-dessus de moi avait perdu une feuille.

Le renard s'est sauvé.

Youki était apparemment heureux de le revoir.

Ça lui donne l'impression d'être moins seul au monde.

(...)

Retour au souper.

J'ai parlé à Mom et à Pop de mon projet d'article de Spécial bikini pour le journal étudiant, question d'attiser la curiosité des ados remplis d'hormones que nous sommes.

Mom a eu la réaction souhaitée :

– Namasté, c'est tellement sexiste. Comme si tu vendais de la bière.

– Mom, tu connais mal ta p'tite fille d'amour. On va annoncer un Spécial bikini, mais on ne va pas dire que ce sont des gars de l'école qui vont les porter.

– Ha! Ha! Qui va être assez fou pour offrir son corps?

J'ai montré Fred. Il a fait non de la tête.

– Je ne suis plus sûr. Je trouve que c'est une atteinte à ma personnalité.

Mes sourcils se sont transformés en accents circonflexes poilus.

– Euh, Fred? Je te rappelle qu'il y a quelques jours, tu étais dans une arène, habillé en sac à ordures. Avec un nain qui faisait ta marionnette.

Tintin a ajouté:

– Pendant 10 minutes, toi et Coco le Gorille, vous avez eu des convulsions.

Fred s'est senti attaqué:

– Comment tu le sais? Tu n'étais même pas là.

– J'ai vu la vidéo.

J'ai insisté :

– Vidéo que tu t'es empressé de mettre sur le Net, là où tu peux potentiellement traumatiser deux milliards de personnes. Et pour être sûr qu'on te pointe du doigt dans les endroits publics, tu as ajouté ton nom, ton adresse courriel et tes mensurations. Et pour une raison qui m'échappe, tu as ajouté que tes relations amoureuses étaient compliquées.

– Je veux prendre les photos, a dit Tintin.

Fred a pointé Tintin avec sa fourchette tandis qu'il ma regardée (preuve qu'il peut faire deux choses à la fois) :

– Hey ! Pourquoi tu ne lui demandes pas à lui aussi ?

– Parce que, a répondu Tintin, ce n'est pas une démarche artistique assez inspirante pour moi. À ce compte, je préfère m'effacer derrière la caméra et l'imprégner ainsi de ma sensibilité.

Air hébété de Pop, Mom, Fred et moi. J'ai eu quelques secondes d'hésitation avant d'affirmer :

– Je ne comprends pas ce que tu me dis, mais je suis d'accord. Je pense.

– Je ne veux pas être seul, a dit Fred. Faut qu'on trouve quelqu'un d'autre.

– On va trouver, j'ai dit, alors que je n'avais personne en tête outre Monsieur M., le directeur, ce qui risquait, s'il acceptait, d'entamer quelque peu son autorité.

– On prend les photos où ? j'ai demandé à Tintin.

– Laisse-moi y songer. Quand je serai prêt, je vous ferai signe. Faut que je le sente. Mais ce sera demain, à l'école.

– On va prendre ton bikini ? a demandé Fred, qui avait laissé tomber toute tentative de faire une croix sur une offre qui se refuse facilement.

– Tu es malade ? Je veux pas attraper tes morpions.

Mom m'a remise à ma place.

– Namasté, franchement ! Pour qu'il ait des morpions, il aurait fallu qu'il se passe quelque chose avec quelqu'un.

Il ne peut pas en attraper avec son toutou chien.

- M'man, je ne dors plus avec depuis 10 ans!

- Tes relations amoureuses compliquées, je sais que c'est avec lui.

- J'ai déjà tout acheté, a tranché Tintin. Pendant que vous vous amusiez sur une plage d'un pays dirigé par un despote qui garde son peuple dans une abjecte pauvreté pour mieux le manipuler, j'étais en plein processus créatif.

- *Cool*, j'ai dit, je ne me sens presque pas coupable. Ils ressemblent à quoi, ces bikinis?

- Peux pas le dire. Ça fait partie de la dynamique que je veux installer. Ce sera demain.

- Attends, j'ai dit, on peut pas prendre des photos n'importe où. Faut demander la permission.

- Je n'ai de permission à demander à personne. Je suis un artiste, je suis libre.

Tintin, à Fred:

- Prépare-toi. Voilà tout.

- Comment? En badigeonnant mon corps d'huile?

- Surtout pas. Je te veux authentique.

Pop n'a rien dit, alors qu'il se scandalise chaque fois que Tintin ouvre la bouche.

Il a bu deux bières pendant le souper.

(...)

C'est donc demain que les photos du Spécial bikini seront prises. Où dans l'école et à quelle heure? Aucune idée.

Et je dois trouver une autre victime parce que si Fred est seul, il va m'en vouloir, encore une fois, à mort.

Il est déjà assez gentil (naïf?) d'avoir accepté, je ne peux pas me le mettre à dos.

Mathieu? Hum... On ne s'est pas texté depuis ce matin.

Peut-être que si je faisais la paix avec lui...

Publié le 14 janvier à 11 h 48
Humeur: Heureuse

> Joie!

Après des semaines d'absence, Nath est de retour à l'école!

Yé!

Elle n'est pas encore remise complètement de son accident. Elle doit éviter de faire du sport (de toute façon le gymnase a brûlé) et, si possible, de se faire frapper de nouveau par un chauffard qui roule à tombeau ouvert.

Elle marche avec des béquilles. Kim l'aide pour transporter son sac à dos et son chihuahua dans un sac à main (O.K., y'a pas de chihuahua).

Et... elles se tiennent par la main!

Comme les deux amoureuses qu'elles sont.

Bravo! Bravo! Bravo!

(...)

Est-ce que tout le monde était heureux de la revoir? Non.

Jimmy la Réglisse noire n'a pas tenu parole.

Je n'étais pas contente.

Lorsque je l'ai aperçu à son casier, je suis allée lui parler.

- Tu m'as fait une promesse.

- J'ai changé d'idée.

– C'est si difficile pour toi de faire preuve d'humilité? Tu l'as traitée comme un animal.

– C'est ça, c'est ça.

Il avait la tête enfouie dans son casier et ne me regardait pas.

Je l'ai pris par le bras.

– Si tu ne vas pas présenter tes excuses à Nathalie, tout le monde va savoir que le gars qui joue au *tough* est une mauviette en avion.

Il s'est arrêté. J'ai poursuivi mon attaque.

– Et que t'as tellement été malade en voyage que tes fesses crachaient du feu. Ta mère nous l'a raconté en détail et elle a même reproduit tes gestes accompagnés de quelques sons générés par ton corps, avec brio, par ailleurs. Laisse-moi te montrer, j'ai tout filmé.

J'ai fait semblant de sortir mon téléphone cellulaire, même si je ne l'avais pas avec moi en voyage.

– O.K., O.K. Je vais y aller. Contente?

– Quand?

– Tantôt.

– Non. Tout de suite.

Il a poussé un soupir de poney à qui on vient d'apprendre qu'il a fini de grandir et qu'il ne sera jamais aussi imposant que son voisin de box, le cheval arrogant.

Jimmy m'a suivie jusqu'au casier de Nath. Elle était entourée de plein d'amis. Tout le monde s'est tu en voyant s'approcher le roi des Têtards gluants.

- Nath, notre ami Jimmy aimerait te dire quelque chose.

Je me suis tournée vers lui. Il semblait quelque peu renfrogné. Je l'ai aidé à se délier la langue en lui susurrant à l'oreille :

- Rappelle-toi la légende du *Dragon dans le derrière*.

L'effet a été instantané :

- Ouais, eh bien, euh, je voulais juste que tu saches que je suis désolé pour ce que je t'ai fait subir. Je suis un être misérable à l'estime de lui-même nulle qui a du plaisir lorsqu'il fait du mal aux autres. Et parce que je suis né dans une famille riche, je me crois tout permis et, surtout, je m'imagine être au-dessus des autres. Cela prouve que l'amour que j'ai reçu ne se transmet pas par la voie du cœur. Dorénavant, je vais me concentrer sur l'être et non le paraître. Je compte y arriver en faisant preuve d'altruisme, de gentillesse et de générosité. Et toute la fortune de mon père qui m'est tombée dessus sans que je le mérite, je vais la donner aux bonnes œuvres, plus spécialement aux organismes qui viennent en aide aux hippopotames aux prises avec des problèmes d'agressivité. Je voudrais, en guise de conclusion, remercier du fond du cœur la délicieuse Namasté, sans qui ma prise de conscience n'aurait pas été possible.

D'accord, d'accord, j'en ai ajouté un tout p'tit peu. Une miette, pas plus.

Mettons que la première phrase qu'il a dite résume ses intentions. Et la dernière, celle où il affirme que je suis délicieuse.

Gnac, gnac, gnac.

Nath était sous le choc après le départ de Jimmy. Au propre comme au figuré puisqu'une rangée de casiers est tombée sur elle.

Mais noooon. Je niaise.

Elle ne s'attendait pas à recevoir des excuses. Je n'en avais pas parlé à Kim non plus.

J'y pense... Je n'en ai pas fini avec Jimmy. J'ai une dernière demande à lui faire.

Après, ce sera tout. Promis.

(...)

Pas vu Mathieu ce matin. Je ne lui ai pas texté.

Pourquoi il ne me texte pas?

J'ai peur des personnes qui n'ont pas de sourcils

Publié le 14 janvier à 17 h 04
Humeur: Estomaquée

> J'ai tenu deux semaines

J'ai commencé l'année en prenant la résolution qu'il ne se passerait plus rien d'étrange, de rocambolesque ou d'absurde dans ma vie.

Quatorze jours plus tard, je dois avouer que j'ai échoué.

D'aplomb.

J'ai oublié de mentionner que ce matin, Fred est sorti de la salle de bains, les sourcils rasés.

J'ai pris conscience sur-le-champ que les gens qui n'ont pas de sourcils me font peur.

- *Ouatedephoque!*

- Quoi?

- Ben, tes sourcils! Tu ne me feras pas croire qu'ils sont tombés parce que t'as éternué!

- Ah, ouais. Ça paraît tant que ça?

- Paraître? On ne voit que ça, même si tu les as fait disparaître. Ce qui est quand même une prouesse.

- Je veux pas qu'on me reconnaisse sur les photos.

- Euh... C'est parce que tu vas être le seul à l'école à t'être rasé les sourcils. Tout le monde va parler de toi. Là, vraiment, t'es terrifiant. Si t'étais pas mon frère, je serais déjà en train de te frapper à grands coups de pale de ventilateur.

Fred s'est réfugié dans sa chambre pour en ressortir 15 minutes plus tard avec des lignes faites au marqueur vert à la place des sourcils.

- Quossé ça?

- Ouais, ben, c'est temporaire, mon marqueur noir est à l'école. J'avais juste le vert avec moi.

- *Man*, t'as l'air d'un cadavre maquillé par un technicien mortuaire daltonien.

C'était, bien entendu, le premier présage que ma journée allait être sous le signe d'un *bad trip* de liquide correcteur.

Après le dîner, Tintin nous a avertis, Fred et moi, qu'il était «prêt». Il nous a donné rendez-vous en face des toilettes des garçons, à l'autre bout de l'école.

Il ne voulait toujours pas nous révéler où allait avoir lieu la séance de photo, question de nous surprendre.

Il a fallu que je m'arrange avec mon prof de maths parce que c'était pendant la première période de l'après-midi. Je lui ai dit que ça allait durer dix minutes maximum.

- Faudrait quand même avertir le directeur, j'ai dit. Avoir la permission.

- Non, a répliqué Tintin. Le danger fait partie de l'expérience.

- Comment ça, le danger? Tu n'as pas l'intention d'introduire dans le processus un animal sauvage ou, pire, Gaston le chauffeur d'autobus?

Il n'a pas répondu. 😐

Entre-temps, sans même avoir besoin d'utiliser la menace, j'ai réussi à convaincre Jimmy (oui, oui, LE Jimmy, empereur des Réglisses noires) de participer aux photos comme modèle.

Je ne lui ai évidemment pas mentionné qu'il allait être en bikini. À quoi bon?

Finalement, les élèves se rendent à leur cours pour la première période de l'après-midi.

Fred – qui a tracé plusieurs lignes noires par-dessus les vertes, mais aussi pour camoufler le fait qu'il a fallu qu'il s'y reprenne plusieurs fois parce que « se maquiller devant un miroir, c'est pas facile » –, Tintin, Jimmy et moi, on se retrouve à l'endroit prévu, à l'autre bout de l'école, là où aboutissent immanquablement les gens qui se perdent.

Tintin tend à Fred et à Jimmy un sac dans lequel se trouvent les bikinis.

– C'est quoi, ça? a demandé Jimmy.

– Un costume, j'ai fait. Je te l'avais dit, non?

– Non.

– Allez, plus vite tu vas l'enfiler et plus vite ce sera terminé.

Question pertinente que je pose au photographe alors que les gars se changent:

– Ils étaient à toi, j'imagine?

– Non, j'ai trouvé les ensembles dans un magasin *weird* où il est possible de dénicher toutes sortes de fringues débiles.

Quelques instants plus tard, un hurlement me fait dresser les cheveux sur la tête.

Fred (jaune) et Jimmy (couleur peau) sortent avec un truc de dentelle sur la poitrine.

– C'est quoi ça? ils demandent en chœur.

– C'est ce qu'il vous faut pour les photos. Allez mettre le reste.

Je me tourne vers Tintin :

– C'est un Spécial «bikini», pas «lingerie fine»!

– Je trouvais que c'était cliché, ton idée.

– Tintin, des ados en bikini, c'est drôle. Mais s'ils sont en déshabillés des années 70, c'est juste inapproprié.

– Attention, Namasté, c'est ma liberté d'expression que tu attaques.

Fred est sorti de la cabine avec un bustier décoloré aux aisselles.

– Je vais nulle part avec ça, moi. Ça sent le diable, en plus.

Jimmy l'a suivi avec un porte-jarretelles qui soutenait des bas pleins de trous, probablement rongés par les mites.

– Je ne vais nulle part avec ça moi non plus.

Ce n'était même pas vulgaire. Juste hideux. Mais ça pouvait être mal interprété.

Tout était prêt pour les photos, fallait que je trouve une solution.

– O.K., j'ai fait, on va prendre des photos, mais les visages ne vont pas apparaître dans le journal, d'accord?

– Phoque! a fait Fred. J'ai rasé mes sourcils pour rien?

– Tu as rasé tes sourcils? a demandé Jimmy, sérieux. Ça paraît même pas.

– Bien, a dit Tintin. Suivez-moi.

Les gars sont allés chercher leurs vêtements.

– Non, a fait Tintin. Je vous veux vulnérables. Laissez-les ici.

Les gars se sont regardés et ont fait non de la tête.

– Tu pousses trop, j'ai dit à Tintin. Ces gars-là ne seront plus jamais les mêmes après.

On a donc mis le cap sur l'endroit secret.

Je marchais plus vite pour ne pas être accidentellement vue avec Fred et Jimmy.

(...)

Je vais aller souper.

Toujours pas de nouvelles de Matou.

Fait suer.

J'ai le goût de lui envoyer un texto.

C'est con de ne pas se parler.

Je m'ennuie de lui.

Mais la question est de savoir si lui s'ennuie de moi.

****

TEXTEZ AVEC VOTRE TÊTE!

Notre nouvelle application permet de texter par la pensée. Vous n'avez qu'à regarder intensément l'écran de votre téléphone cellulaire et les mots apparaîtront, mais attention aux pensées qui polluent votre esprit! Cette nouvelle technique de télépathie par télécommunication est offerte au prix ridicule de 99 sous. Envoyez vos pouces à la retraite!

www.onvaetrericheavantquevousvousrendiez-comptequecestunearnaque.com

****

Sauve qui peut !
Namxox

Publié le 14 janvier à 19 h 21
Humeur: Gênée

> **Ma journée *nawak*, la suite**

J'ai cédé: j'ai texté à Mathieu.

C'est ridicule, il est temps de se réconcilier.

On ne peut pas continuer à s'ignorer.

J'imagine que c'est à moi de faire les premiers pas parce que je l'ai fâché.

J'ai croisé Valentine dans un corridor aujourd'hui. Je l'ai saluée de la main et elle m'a ignorée.

Première fois que ça m'arrive. Assez humiliant, merci.

(...)

Voici la suite de l'accident de cet après-midi, seul mot adéquat que j'ai trouvé.

Je me sens un peu mal d'avoir impliqué Fred et Jimmy dans cette aventure.

Ce qui est fait est fait. Je n'y peux rien.

L'endroit secret où Fred et Jimmy allaient être pris en photo était la cafétéria.

– Il y a des toilettes ici, j'ai dit, pourquoi ne pas avoir demandé aux gars de s'y changer? Ils n'auraient pas été obligés de marcher un kilomètre habillés comme des chanteuses pop en manque de publicité.

– Fallait que je les casse, a dit Tintin. Pour qu'ils me donnent ce qu'il y de plus cher et rare au monde...

– L'humiliation d'une vie?

– Non: l'émotion pure que ressent un enfant qui vient de sortir du ventre de sa mère.

– O.K., dans ton monde, les bébés naissent en lingerie fine?

– Allez, a dit Fred. Dépêchez-vous.

Tintin est allé chercher des plateaux.

– Je veux que vous grimpiez sur la table. Je vais coller chacun de vos pieds à un plateau.

De la poche de sa jupe, il a extirpé un tube.

– Un instant, a dit Jimmy. C'est de la colle contact, non?

– Oui. Je ne vais pas en mettre beaucoup.

Tintin a versé une goutte sur chaque orteil, puis sur le talon. Et il a collé le plateau.

J'avais une envie irrépressible de satisfaire l'appétit de ma curiosité:

– Je peux savoir ce que c'est censé représenter?

– Tu ne saisis pas? a demandé Tintin.

– Non. Désolée. Ma fibre artistique n'est pas assez développée, j'imagine. Ou mon esprit assez tordu.

– Les gars représentent un objet de consommation. Comme les plats qu'on met dans les plateaux. Leur image est exploitée.

– O.K., ouais, a fait Jimmy alors qu'il se faisait coller un pied à un plateau. Dans le fond, par ta démarche artistique, tu veux dénoncer l'exploitation des corps adolescents faits par les multinationales afin de vendre un produit qui sera vite digéré.

- Très juste, Jimmy.

- Je pense que je vais restituer mon dîner, j'ai ajouté.

Jimmy et Fred, attriqués comme des chanteuses de cabaret dans le Far West, les pieds chaussés de plateaux, étaient prêts à se faire photographier.

Leurs chaussures improvisées, cependant, leur donnaient l'impression d'être en patins sur la glace. Ils avaient du mal à garder leur équilibre.

Tintin a sorti son appareil photo.

- Parés ? il a demandé.

Les gars ont fait oui tandis que je faisais non de la tête, désespérée.

- Namasté ? Tintin m'a dit.

- Hum ?

Tintin a pointé du doigt un objet derrière moi. Je me suis retournée, craignant que ce soit Monsieur M. ou une équipe de reporters enquêtant sur le sujet : « Les jeunes, ces détraqués ; mais où s'en va notre société ? »

Je n'ai rien vu d'intéressant.

- Quoi ?

- L'alarme à incendie.

- Oui, qu'est-ce qu'elle a ?

- Fais-la sonner.

Les réactions, en commençant par moi, Jimmy puis Fred :

- Hein ?

- Quoi ?

- Que faire ?

- Parlez-moi de vos émotions, a dit Tintin.

- Ne nous niaise pas, j'ai dit. Tu vas te faire suspendre de l'école.

- Je sais. Je veux juste que les gars se réchauffent. Les mettre dans l'ambiance.

- Je ne comprends rien à ce que tu dis, j'ai fait.

Tintin a regardé sa montre.

- Tu vas comprendre dans quelques instants.

À mon grand soulagement, Tintin s'est éloigné de l'alarme. Avec lui, on peut s'attendre à tout ; j'ai vraiment eu peur qu'il la déclenche.

- O.K., les gars, il a dit à nos deux cobayes, c'est le temps d'avoir l'air apeuré. Vous êtes des objets de consommation. Votre intérieur, personne ne s'y intéresse. Et votre extérieur est jetable. Fuyez alors qu'il en est encore temps !

Jimmy et Fred se sont regardés.

- Fuir quoi ? j'ai demandé. Tu vas pouvoir m'expliquer ce qui se passe ?

Tintin a consulté une autre fois sa montre. Puis a fixé le plafond.

L'alarme d'incendie a alors retenti.

Paralysée, j'ai regardé les gars en tenue qui se voulaient sexy.

C'est à ce moment que j'ai entendu le murmure de centaines d'élèves qui sortaient de leur classe pour l'exercice d'évacuation annuelle.

Et l'hiver, quel est le point de ralliement?

La cafétéria.

Là où on était. 😮

Et les vêtements des gars étaient à l'autre bout de l'école.

Jimmy en porte-jarretelles couleur chair et Fred en bustier jaune sueur séchée, tous les deux, les pieds collés à des plateaux, ont alors mis le cap vers les toilettes situées à une année-lumière d'où on était, question de récupérer leurs vêtements et d'être vus le moins possible par des élèves.

Pendant que les deux gars essayaient tant bien que mal de courir, Tintin les a pourchassés avec son appareil-photo tout en les encourageant à coup de «vous êtes des animaux traqués!» et «montrez-moi votre âme, allez, je veux la voir!».

Depuis, certains élèves de mon école racontent la légende des *Cualquier de pistolas obscenos* («Drôles de pistolets obscènes», en français) qui narre l'épopée de deux élèves en lingerie fine, les pieds soudés à des plateaux de cafétéria, qui courent dans les corridors en faisant un boucan d'enfer tout en bramant, tels des cerfs poursuivis par des chasseurs, tout cela pendant un exercice d'incendie.

Soit dit en passant, la colle contact sur la peau des orteils et du talon, c'est une mauvaise idée: je ne sais pas pour Jimmy, mais Fred a les pieds trempés dans une solution d'eau chaude et d'huile végétale depuis qu'il est revenu de l'école.

Mom a suggéré d'appeler les pompiers, Fred ne veut pas, je me demande pourquoi.

Très hâte de voir les photos de Tintin.

Ah oui, Jimmy a demandé de garder le porte-jarretelles... *Weird*.

Publié le 14 janvier à 23 h 02
Humeur: Blessée

> **Je n'en peux plus**

Vraiment, cette Valentine continue de m'énerver au plus haut point.

Je la déteste tellement.

Kim vient de m'informer d'une nouvelle qu'elle a apprise et qui me concerne indirectement. Ça m'a chamboulée.

Et y'a une photo que Kim m'a montrée qui a fait ratatiner mon cœur.

Je suis anéantie.

Ne manque pas la suite des aventures
de Namasté dans le tome 13,

Survivre,

en librairie à l'automne 2012.

Déjà best-seller !

« *Les têtes réduites*, premier roman d'horreur de la collection Grand-peur, raconte l'histoire d'une adolescente de 16 ans, Nadia Walker, aux prises avec un problème de timidité maladive. Contre toute attente, elle devient amie avec la fille la plus populaire de l'école, Mélina Bérubé, après avoir assisté à un horrible accident impliquant le copain de cette dernière. Au grand dam de sa meilleure amie qui la met en garde, elle se laissera hypnotiser par son charisme mortel.

Mélina Bérubé est belle, intelligente et cache un secret maléfique qui changera à jamais la vie de Nadia Walker. S'ensuit un suspense à couper le souffle dont les nombreux rebondissements tiendront le lecteur en haleine jusqu'à la dernière page. »

Bientôt disponible

Après le succès retentissant des Têtes réduites, Namasté nous offre son deuxième roman d'horreur, Harcelée.

Sabrina Lavoie est nouvelle à son école secondaire. Dès le premier jour, sa marraine, Mégane Ladouceur, la met en garde contre une certaine Cindy, qui la harcèle depuis des années et que Sabrina doit à tout prix éviter. Mégane compare Cindy à une araignée qui tisse sa toile autour de sa proie pour prendre le temps de la dévorer par la suite.

Alors que Sabrina, qui a déjà été victime d'intimidation, se met dans la tête de changer Cindy, elle est pourchassée par une mystérieuse inconnue qui lui apparaît un jour dans son miroir.

Cette fille décédée depuis plusieurs mois serait une victime de Cindy.

Dans la même série

Le blogue de Namasté – tome 11
La vérité, toute la vérité !
Éditions La Semaine, 2012

Le blogue de Namasté – tome 10
Le secret de Mathieu
Éditions La Semaine, 2011

Le blogue de Namasté – tome 9
Vivre et laisser vivre
Éditions La Semaine, 2011

Le blogue de Namasté – tome 8
Pour toujours
Éditions La Semaine, 2011

Le blogue de Namasté – tome 7
Amoureuse !
Éditions La Semaine, 2010

Le blogue de Namasté – tome 6
Que le grand cric me croque !
Éditions La Semaine, 2010

Le blogue de Namasté – tome 5
La décision
Éditions La Semaine, 2010

Le blogue de Namasté – tome 4
Le secret de Kim
Éditions La Semaine, 2009

Le blogue de Namasté – tome 3
Le mystère du t-shirt
Réédition La Semaine, 2010

Le blogue de Namasté – tome 2
Comme deux poissons dans l'eau
Réédition La Semaine, 2010

Le blogue de Namasté – tome 1
La naissance de la Réglisse rouge
Réédition La Semaine, 2010

Autres titres du même auteur

Pakkal XII – *Le fils de Bouclier*
Éditions La Semaine, 2010

Pakkal XI – *La colère de Boox*
Éditions La Semaine, 2009

Pakkal X – *Le mariage de la princesse Laya*
Éditions Marée Haute, 2008

Pakkal IX – *Il faut sauver l'Arbre cosmique*
Éditions Marée Haute, 2008

Le deuxième codex de Pakkal, hors série
Éditions Marée Haute, 2008

Pakkal VIII – *Le soleil bleu*
Les Éditions des Intouchables, 2007

Circus Galacticus – *Al3xi4 et la planète de cuivre*
Éditions Marée Haute, 2007

Pakkal VII – *Le secret de Tuzumab*
Les Éditions des Intouchables, 2007

Pakkal VI – *Les guerriers célestes*
Les Éditions des Intouchables, 2006

Pakkal V – *La revanche de Xibalbà*
Les Éditions des Intouchables, 2006

Pakkal IV – *Le village des ombres*
Les Éditions des Intouchables, 2006

Le codex de Pakkal, hors série
Les Éditions des Intouchables, 2006

Pakkal III – *La cité assiégée*
Les Éditions des Intouchables, 2005

Pakkal II – *À la recherche de l'Arbre cosmique*
Les Éditions des Intouchables, 2005

Pakkal I – *Les larmes de Zipacnà*
Les Éditions des Intouchables, 2005

IMPRIMÉ AU CANADA